Carlo Ross
Im Vorhof der Hölle

Carlo Ross, 1928 geboren, hat im vorliegenden Buch, dem Folgeband zu ›...aber Steine reden nicht‹, die Geschichte seiner Jugend verarbeitet. Nach dem Ende des Zweiten Weltkrieges begann er für verschiedene Zeitungen und Jugendzeitschriften zu schreiben, volontierte bei der ›Westdeutschen Allgemeinen Zeitung‹ und wechselte dann in die Sozialarbeit. Später nahm er seine Tätigkeit als Journalist und Redakteur in Berlin wieder auf, wo er auch einen Kleinverlag gründete. Carlo Ross wurde 1994 mit dem »Alfred-Müller-Felsenburg-Preis« ausgezeichnet. Der Autor starb 2004.

Weitere Titel von Carlo Ross bei <u>dtv</u> junior: siehe Seite 4

Carlo Ross

Im Vorhof der Hölle

Ein Buch gegen das Vergessen

Roman

Ausführliche Informationen über
unsere Autoren und Bücher
www.dtv.de

Zu diesem Band gibt es ein Unterrichtsmodell unter
www.dtv.de/lehrer zum kostenlosen Download.

Von Carlo Ross ist außerdem bei dtv junior
lieferbar:
... aber Steine reden nicht

MIX
Papier aus verantwor-
tungsvollen Quellen
FSC® C019821

Ungekürzte Ausgabe
19. Auflage 2018
1994 dtv Verlagsgesellschaft mbH & Co. KG, München
© 1997 dtv Verlagsgesellschaft mbH & Co. KG, München
Umschlagkonzept: Balk & Brumshagen
Umschlagbild: Bernhard Förth unter Verwendung
eines Fotos von Jan Roeder
Gesetzt aus der Stempel Garamond 11/13˙
(Diacos, Barco Optics 300Q)
Gesamtherstellung: Druckerei C.H.Beck, Nördlingen
Printed in Germany · ISBN 978-3-423-78055-1

Von vielen Menschen, die in Theresienstadt vegetierten, wurde das Getto Vorhof der Hölle genannt.

Von hier aus gingen die Transporte nach Auschwitz und in andere Vernichtungslager ab, die Transporte in die Hölle.

Allen vergasten Müttern!

I

»Wir sind auf dem Weg ins Protektorat«, sagte
Fred Weinberger, als der Zug anruckte um dann
doch wieder stehen zu bleiben. »Ich habe durch
den Spalt in den Waggonplanken den Stationsnamen Aussig gelesen und Aussig, das glaube ich
zu wissen, liegt in der Tschechei, die sie jetzt Su-
detengau nennen!«

Von denen, die mit ihm auf ihren Bündeln eng
gedrängt im Viehwaggon saßen, kam keine Antwort. Einige schliefen, erschöpft durch Hunger
und tagelange Fahrt quer durch das von den Nazis eroberte Osteuropa. Andere wischten sich
den Schweiß von der Stirn, stöhnten vor Hitze
und versuchten sich mit den Händen Luft zuzu-
fächeln. In der Enge des überfüllten Viehwaggons aber gab es nur stinkenden Brodem vieler
seit langer Zeit ungewaschener Körper, roch es
nach Urin und Kot.

David Rosen hockte auf seinem Koffer an der
Waggonwand. Immer wieder drückte er die
Nase gegen die kaum sichtbaren Fugen um ein
wenig unverbrauchte Luft atmen zu können.

Wer David nun sah, war erschreckt über das
Aussehen des Jungen. Seit Januar war er mit seiner Mutter Hanna Rosen und Erna Rothstein
unterwegs auf Transport. So nannte man die
Verschickung der Menschen, deren einziges

Verbrechen es war, Juden zu sein. Die Fahrt war in der Kälte des Januar begonnen worden, sie führte über die verschiedensten Stationen bis ins Baltikum, nach Riga an der Ostsee. Aber auch hier sollten die Menschen nicht zur Ruhe kommen. Schon im April hieß es für David erneut, auf Transport zu gehen. Diesmal musste er allein fahren, mussten die Mutter und Erna Rothstein zurückbleiben. David hatte es nicht geglaubt, als er den Transportbefehl im Rigaer Getto las. Die Mutter drückte ihn so fest an sich wie in den Kindertagen, wenn sie ihn trösten musste. David hatte Rotz und Wasser geheult, wie er später selbst ironisch spottete. Hanna Rosen, immer noch ausgestattet mit einem eisernen Willen und guten Nerven, versuchte ihm den Abschied leichter zu machen, doch dann ließ auch sie die zuversichtliche Maske fallen und weinte mit ihrem Jungen.

Am nächsten Morgen, noch bevor die Sonne aufgegangen war, stand die Kolonne, bepackt mit Bündeln, Koffern und Taschen, auf dem Appellplatz des Gettos. Erst nach langer Zeit erschien einer der SS-Offiziere, glatt rasiert und gut gelaunt. Vom Ältesten der Judenschaft ließ er sich die Transportliste vorlegen, sah sie minutenlang aufmerksam an und nickte dann kurz. Im Licht der aufgehenden Sonne blitzten seine Brillengläser. Die Männer von der Gettopolizei gaben den Befehl zum Abmarsch. Die Rotte der schäbig Gekleideten, Heruntergekommenen, Verdreckten setzte sich in Bewegung. Mit

8

schleppenden Schritten schlichen sie zur Verladerampe.

David versuchte irgendwo die Mutter zu entdecken. Er schaute in alle Richtungen und glaubte endlich sie, hinter einer Hausecke hervorspähend, gesehen zu haben. In seinem Kopf raste alles durcheinander. Er konnte keinen klaren Gedanken fassen. Immer wieder hämmerte es schmerzhaft in ihm: Mutter, Mutter. Die Tränen trübten seinen Blick so sehr, dass er alles nur wie durch einen grauen Nebel wahrnahm. Mechanisch setzte er einen Schritt vor den anderen. Irgendwo, ganz hinten im Kopf, keimte der Gedanke an Flucht, aber den verwarf er so schnell wieder, wie er gekommen war. David wusste: Flucht lohnte sich nicht. Sie stöberten alle auf, die es gewagt hatten, dem Getto, dem Hunger und der Gewalt zu entfliehen. Fast immer hingen die Körper der Wagemutigen dann an den Galgen auf dem Appellplatz, schwankten grotesk selbst im leisesten Windhauch und mahnten durch ihren Anblick, das eigene Leben zu erhalten.

Neben David marschierte stramm Lewandowski, ein Mann der Gettopolizei. David nahm seinen Mut zusammen und fragte ihn: »Wohin geht der Transport?«

Lewandowski ließ seinen Schlagstock locker in der Hand kreisen, so, als wolle er warnen, sah David erstaunt an, als wundere er sich über die Dreistigkeit des Burschen, und raunzte dann kurz angebunden im Bewusstsein seiner Macht: »Das siehst du noch früh genug, Jecke!«

David schwieg, schaute stur nach vorn, seinem Vordermann in den Nacken. Schon bereute er den Polen gefragt zu haben. Dessen Reaktion war so gewesen wie so oft in den letzten Monaten. Immer wieder wurden die deutschen Juden von denen anderer Nationalität verächtlich mit dem Schimpfwort *Jecke* belegt. Sie wurden nicht für voll genommen und von den Juden aus anderen Völkern belächelt.

Die Kolonne näherte sich nun der Verladerampe am Güterbahnhof. Schweigend, mit gesenkten Köpfen marschierte die Gruppe. Die Männer verlangsamten ihren Schritt, als sie erkannten, dass die Frauen und Mädchen nicht nachkamen. An der Rampe standen in deutschen Uniformen Hilfswillige der Letten. Einige hielten laut kläffende Wachhunde fest an den Leinen. Die Hilfswilligen zählten die Menschen ab, die neben dem Güterzug standen und teilnahmslos vor sich hinstarrten, so, als ginge sie das alles rundherum nichts an.

David erhielt einen harten Schlag mit dem Knüppel ins Kreuz. Die barsche Stimme eines Letten sagte: »Ihr da, hier hinein. Marsch, marsch!«

Die Frauen und Männer hörten das Kommando und beeilten sich in den Waggon zu klettern. Sie warfen ihre Bündel und Koffer hinein, zogen sich hoch oder wurden hinaufgehoben von denen, die hinter ihnen standen. David suchte sich einen Platz. Er wollte nahe an der Schiebetür sitzen, aber ein anderer Mann schien

10

den Platz für sich zu beanspruchen. »Weg da«, befahl er und runzelte die Augenbrauen, was seinem derben Gesicht einen drohenden Ausdruck verlieh. David schob seinen Koffer mit dem Fuß zur Seite. Er fand einen freien Platz neben den Planken, setzte sich auf den Koffer und ließ andere an sich vorbei. Es wurde eng in dem Waggon. Dann stieg der Letzte ein und einer der Hilfswilligen schob die große Tür zu. Das ging langsam. Die Tür quietschte in der Laufschiene. Endlich war sie geschlossen. Man hörte, wie Metall auf Metall schlug und der Verschlusshaken einrastete.

Niemand sprach ein Wort. Minutenlang war es still, ganz still im Waggon, dann begann, hell und dünn, eine Mädchenstimme zu weinen. Ein anderer aus der Gruppe ließ seiner Angst wortreich freie Bahn. Er betete in der Sprache der Väter, von der David so wenig verstand. Nur einzelne Worte waren es, die er sich übersetzen konnte. Worte wie Gnade und Erbarmen.

Aus einer anderen Ecke des Waggons begann eine Männerstimme zu singen. Es war ein schwermütiges slawisches Lied und der unbekannte Mann sang es mit einer schmeichelnden, weichen Stimme. Stunden waren so vergangen. Gelegentlich waren an den Waggons Schritte zu hören gewesen. Auch das Bellen der Wachhunde klang böse zu denen, die in der Dunkelheit ihres Waggons warteten. Dann schien sich etwas zu tun. Man hörte, wie jemand mit einem Hammer gegen die Räder schlug. Die Lokomotive begann

11

zu zischen, zu schnaufen und zu stöhnen. Endlich hörten die Eingeschlossenen ein Pfeifsignal und schließlich ruckte der Zug an. Erst ein paar Mal zögernd, dann mächtiger, endlich rollte der Zug und die Räder schlugen rhythmisch auf die Schienen. »Du«, sagte da eine Stimme neben David, »wenn wir nun schon nebeneinander sitzen, dann sollten wir wissen, mit wem wir es zu tun haben. Ich bin Fred Weinberger!« Er wartete auf Antwort, sagte eine Zeit lang nichts. Dann ergänzte er: »Ich komme aus Krefeld! Und du?«

»Aus Hagen«, erwiderte David und setzte hinzu: »Ich bin David Rosen!«

Weinberger verzog den Mund zum Lächeln. David konnte es nur schemenhaft in der Dunkelheit des Viehwagens erkennen. »Dann sind wir ja fast Nachbarn gewesen!«

»Mhm«, bejahte David und spürte, dass die Tränen, die ihm in der Kehle saßen, unbedingt hinauswollten.

Weinberger schien es zu bemerken. »Heul nur, wenn dir danach ist, Nachbar. Weinen befreit, weitet die Seele. Menschen, die nicht weinen können, sind arm dran!«

David fasste Vertrauen zu dem älteren Mann. Lange sprachen sie miteinander. Zeit genug hatten sie dazu, denn der Transport ging kreuz und quer durch die Lande. David erfuhr, dass Fred Weinberger als Kinderarzt gearbeitet hatte. Er fragte viel, konnte nicht genug hören und sagte, als Weinberger einmal eine Pause einlegte: »Kinderarzt muss ein herrlicher Beruf sein. Den Beruf möchte ich auch haben!«

Weinberger schien seine Worte nicht verstanden zu haben und so wie er schwieg nun auch David.

Einige Male kamen sie, wenn der Zug an kleinen Stationen oder an Wasserzapfstellen Halt machte, lärmten, schoben die Waggontür auf und warfen ein paar Brotlaibe unter die Menschen, die sich nach der langen Dunkelheit nur schwer an das grell einfallende Sonnenlicht gewöhnten. Auch einen Eimer mit Wasser hoben sie in den Waggon, so ungeschickt, dass die Hälfte der so lange ersehnten Flüssigkeit überschwappte und über den Boden floss.

Schon lagen zwei, drei der Durstigsten lang und suchten mit ihren Händen das Wasser zum Mund zu führen oder es mit dem Mund aufzusaugen.

Von dem, was im Eimer übrig blieb, verteilte der Älteste aus dem Waggon – es war der Mann, der so herzbewegend gebetet hatte – jeweils einen halben Becher an die Durstenden.

David trank seine Ration Wasser gierig. Noch nie hatte ihm Wasser so geschmeckt wie in der Dunkelheit des Viehwaggons. Nun erst verteilten sie das Brot. Sie versuchten gerecht dabei vorzugehen. Niemand beschwerte sich.

Die Lokomotive pfiff schrill, fauchte aufgeregt und dann begannen die Räder wieder ihr einschläferndes Ratata, Ratata.

Als sie den zweiten Tag unterwegs waren, einigten sie sich eine Ecke des Waggons zu räumen, denn sie brauchten einen Platz für ihre Notdurft. Bald schon sehnte man sich Frischluft herbei und wartete ungeduldig auf die Minuten, für die ihre Bewacher die Tür öffneten, um ihnen das Notwendigste vorzuwerfen. »Gut, dass wir so wenig zu beißen haben, dann gibt es auch nicht viel zu scheißen«, sagte Weinberger neben David, dem wieder einmal übel zu werden begann von dem Gestank, der über den Eingepferchten hing.

»Wohin fahren die uns? Hast du eine Ahnung, Weinberger?« David fragte es und redete den Älteren mit dem vertrauten Du an. Das war in jenen Tagen die Umgangssprache. Die Menschen, die aus den verschiedensten Kulturkreisen und sozialen Schichten kamen, verzichteten weitgehend auf bürgerliche Formen.

»In die Hölle, David«, kam die Antwort kurz und unwillig. »Mir wäre wohler, wenn ich es wüsste!«

Der Zug fuhr langsamer. David war es, als bekämen dadurch die eingeschlossenen Reisenden eine Galgenfrist. Hart schlugen die Räder auf die Schienen. So hart, dass die Knochen zu schmerzen begannen.

»Was wird mit meiner Mutter sein?« David fragte es in die Dunkelheit ohne auf eine Antwort zu warten. Dann aber hörte er die Stimme Weinbergers: »Frag nicht danach und denk nicht dran. In einer Zeit wie dieser lebt jeder nur für sich. Jeder muss selber sehen, wo er bleibt!«

»Aber . . .«

»Nichts aber . . . Deiner Mutter in Riga geht es auch so. Sie muss für sich sorgen, dafür, dass sie diese Zeit überlebt, dass sie gesund bleibt, nicht verhungert, dass sie arbeiten kann für die Herrenmenschen, denn nur die Arbeitsfähigen sind wichtig für sie, helfen sie ihnen doch diesen verdammten Krieg zu gewinnen!«

Die ungefederten Achsen gaben jeden harten Schlag an die Menschen weiter.

»Das kann ich nicht!« David suchte den Spalt in der Waggonwand zu finden, hielt die Nase nahe heran und atmete gierig die Luft ein, die nach Tannen und Heu duftete und ein wenig nach Lokomotive.

»Du wirst es lernen, wenn du überleben willst, David. Wie lange bist du nun schon von daheim fort?«

»Im Januar haben sie uns auf Transport geschickt!«

»Dann wird es Zeit, dass du erkennst, wie der Hase hier läuft. Hier gilt das Gesetz des Dschungels. Fressen oder gefressen werden!« Fred Weinberger, gewesener Kinderarzt und kultivierter Mann, sagte es sehr kurz. Ihm war anzuhören, dass er nun seine Ruhe wollte. David hörte es heraus und schwieg.

Wer schon einmal über längere Zeit im Dunkeln eingesperrt war, der weiß, dass man das Gefühl für die Zeit verliert. Man lauscht ins Dunkel, hört, wie die Räder ihr Lied singen, spürt schmerzhaft die Schläge, die von den Schienen über die Räder bis in die Körper gelangen, und versucht irgendeinen Gedanken an bessere Zeiten zu spinnen.

Das Fahrgeräusch klang nun anders. Es war heller als sonst.

»Wir fahren über einen Fluss«, sagte eine Frauenstimme.

»Stimmt«, erwiderte ein Mann und David erkannte, dass es Weinberger war. »Es wird die Elbe sein!«

Einen Augenblick war es still, dann sagte ein anderer Mann: »Wenn das stimmt, dann fahren wir nach Theresienstadt. Und dann, ihr Leute, dauert es nicht mehr lange und wir sind da!«

Durcheinander kam auf. Jeder sprach auf den Nebenmann ein, versuchte seine Angst loszuwerden, versuchte sich durch das laute Reden Mut zu machen.

»Wir fahren in einen Bahnhof ein«, informierte Fred Weinberger die anderen. Er schien in gespannter Aufmerksamkeit zu sein, als er sagte: »Ruhig, still! Da kommt ein Stationsschild. Leitmeritz steht da geschrieben!«

»Dann ist unser Ziel Theresienstadt, Leute!« Die Unruhe unter den Eingeschlossenen wurde zum Tumult. Jeder schrie seine Worte hinaus. Dazwischen kam lautes Weinen auf und der Alte, den sie als den Ältesten für den Waggon ausgesucht hatten, begann mit seiner brüchigen Altmännerstimme wieder zu beten.

Der Zug fuhr langsam, im Schritttempo. Die Lokomotive pfiff grell, als wollte sie alle Welt

16

aufmerksam machen auf die seltsame Fracht, die sich in den Waggons befand. Dann stand der Zug. Angestrengt horchten David und die anderen. Draußen kamen Menschen im Laufschritt näher. Auch hier war wieder das aufgeregte Hundegebell zu hören. Dann kamen Kommandos. Es waren deutsche Kommandos, aber auch solche in tschechischer Sprache hörten die Eingepferchten.

Es dauerte lange, für die Wartenden eine Ewigkeit, bis endlich das Schließeisen an der Waggontür klirrte und die Tür langsam aufgeschoben wurde.

Als sich die Augen der Menschen an die Helligkeit gewöhnt hatten, sahen sie, dass draußen tschechische Gendarmen in einer Reihe um den Güterzug Aufstellung genommen hatten. Hinter dieser Reihe, ziemlich versteckt vor den Blicken, standen die Herren in den schmucken Uniformen, den silberblitzenden Totenkopf an der flachen Schirmmütze. Interessiert starrten sie auf die Wagen und hörten zu, wie Tschechen und jüdische Ordnungshüter zum Verlassen der Waggons aufforderten.

In Polnisch, Russisch, Tschechisch und Deutsch schrien sie ihre Anordnungen, die zum Aussteigen aufforderten.

Hastig sprangen die Menschen aus den Kastenwagen, warfen Koffer und Bündel hinaus und standen ein wenig verloren zwischen den Gleisen auf dem Schotter.

David kam neben Fred Weinberger zu stehen.

Der stieß ihn mit dem Ellbogen in die Seite: »Da, schau dort hinüber. Kannst du erkennen, was dort geschrieben steht?« Er blinzelte angestrengt hinüber, konnte die Schrift aber nicht identifizieren.

»Bauschowitz« las David und sagte dann noch einmal: »Bauschowitz steht da auf dem Schild!«

Bevor Weinberger etwas sagen konnte, knallten die Kommandos laut in die Menschenmenge, die eng gedrängt, unsicher und verängstigt auf das wartete, was da kommen würde.

»Gepäckstücke in einer Reihe abstellen. In Zweierreihe angetreten, marsch, marsch«, befahlen die Tschechen in hartem Deutsch. Jeder, der den Befehl hörte, beeilte sich ihm schnellstens nachzukommen. Sie standen wie angewachsen in der Zweierreihe, starr und stumm.

Frauen einer Putzkolonne waren mit einem Mal auf dem Schotter. Sie trugen fest geknüpfte Kopftücher und Holzpantinen an den Füßen. Auf dem Schotter kamen die Frauen nur unbeholfen vorwärts. Ihre Holzpantinen klapperten. Eine Frau half den anderen in die Waggons zu kommen. Sie trugen Eimer und Schrubber mit sich, die sie mit in die Wagen nahmen.

Fred Weinberger flüsterte David zu: »Die müssen den Dreck fortschaffen, den wir zurückgelassen haben!«

David nickte. Er sah sich interessiert um, erkannte in einiger Entfernung das Stationsgebäude. Es war, wie viele der öffentlichen Gebäude hier in der Gegend, gelb gestrichen und an der Giebelfront hing ein Schild mit dem Stationsnamen.

Auf der mit Kopfsteinen gepflasterten Rampe fuhr nun ein uralter Traktor heran, der durch ein langes, nach oben gerichtetes Auspuffrohr die Abgase hinausstieß. An ihn war ein flacher Wagen gekoppelt, ein Wagen mit Deichsel, wie er sonst von Pferden gezogen wurde. Das Gefährt tuckerte schlingernd auf dem unebenen Pflaster und hielt dann, wie auf ein geheimes Kommando, direkt neben den gerade Angekommenen.

»Die ersten sechs Mann herkommen zum Gepäckaufladen«, befahl ein Gendarm und fuhr gleich mit dem Schlagstock dazwischen, als sich eine Gruppe nicht sofort an die befohlene Arbeit machte.

»Wir sind gemeint, Leute«, raunte Weinberger und rannte los, auf die Gepäckstücke zu, die in einigen Metern Entfernung lagen. Er zog David mit sich. Die anderen vier rannten ihm nach, nahmen Koffer und Bündel, hoben sie hoch und warfen sie auf den Flachwagen. Weinberger schob David nach vorn. »Steig auf und stapel die Bagage. Und mach es ordentlich«, raunte er, als er David beim Aufsteigen half.

»Vorwärts, keine Müdigkeit vorschützen«, schrie einer der SS-Männer und es schien ihm Freude zu bereiten, den Untermenschen zu zeigen, wer hier der Herr war.

David stapelte das Gepäck, er tat dies ebenso schnell, wie die anderen fünf Männer es auf den

Wagen warfen. Kaum war der letzte Koffer oben, glitt David vom Wagen herab und stellte sich zu den anderen. Im Laufschritt eilten die sechs zurück zu ihrer Gruppe, reihten sich ein und standen stramm.

»Kolonne vorwärts, marsch«, schrie der Gendarm, der wohl eine Art Vorgesetzter war. Der Fahrer des Traktors gab Gas, der Motor jammerte unwillig und aus dem Auspuffrohr stieg ölig schwarzer Qualm.

Die Gruppe setzte sich in Bewegung.

»An den Wagen anschließen und Tempo halten«, kam wieder ein Kommando des Tschechen. Alle aus der Gruppe mühten sich den Anschluss nicht zu verlieren. Sie marschierten an hoch aufgetürmten Baumstämmen vorüber, dann kamen sie an mehreren Wagen vorbei, die mit Kohlen beladen waren. Eine Gruppe Männer, schwarz wie Neger vom Kohlenstaub, füllten die Kohlen in Säcke. Der Schweiß lief ihnen in Bächen über die nackten Rücken. Sie sahen nicht einmal auf, als die Neuen an ihnen vorbeimarschierten.

Der Traktor schlingerte auf dem unebenen Pflaster. Die Straßen der Stadt waren wie leer gefegt. Es schien, als weigerten sich die Bewohner den traurigen Zug, der sich stadtauswärts bewegte, zur Kenntnis zu nehmen.

In schneller Fahrt jagten die Männer der SS in einem Kübelwagen an den Marschierenden vorüber. Zurück blieb eine Staubwolke, die sich grau auf die Menschen legte, die mit unendlich müden, schleppenden Schritten hinter dem Traktor gingen.

David erkannte ein Hinweisschild an der Straße. Es wies stadtauswärts und er las: Theresienstadt 3 km.

»Hast du es auch gelesen, Weinberger? Drei Kilometer bis Theresienstadt!« David blickte den neben ihm gehenden Mann an und versuchte mit den anderen Schritt zu halten.

»Wie mag es dort sein?«, fragte Weinberger zurück, und nicht nur David, auch die anderen, die neben Weinberger gingen, sperrten die Ohren auf.

»Ein Getto eben! Erinnerst du dich nicht an den Theresienstädter Transport, der in den letzten Januartagen nach Riga kam und rund tausend Menschen einlieferte?«

Weinberger überlegte. Er sagte nichts, weil er sich nicht erinnern konnte. Ein anderer aus der Kolonne nahm das Wort. Es war ein sehr großer, sehr magerer Mann, dem die Unterernährung deutlich im Gesicht geschrieben stand. Beim Sprechen entblößte er große gelbe Zähne: »Ich weiß es noch! Es war um die Januarmitte, als die Theresienstädter kamen. Nur die Jungen, die Kräftigen blieben am Leben. Die anderen, die Alten, die Schwachen, die Kinder, wurden von den lettischen Soldaten niedergemetzelt und in einem Massengrab verscharrt! Die Überlebenden berichteten von dem Getto Theresienstadt. Es soll ein Familiengetto sein, in dem es sich leben lässt! So jedenfalls haben die damals berichtet!«

»Gib nichts drauf, es ist bestimmt ganz anders. Frag zehn Juden zu einem Thema, und du wirst zehn verschiedene Antworten bekommen. Jeder, mein Freund, sieht alles nur von seinem Standpunkt aus. In spätestens einer Stunde sind wir dort und dann sehen wir, was sie für uns bereitgestellt haben!« Der Alte hinter David sagte es.

»Maul halten«, brüllte einer der Gendarmen, die neben der Kolonne marschierten, und hieb dem Langen den Schlagstock auf die Nieren, dass er vor Schmerzen aufjaulte und in die Knie ging.

Die Männer, die neben ihm marschierten, zogen ihn hoch und schleppten ihn mit.

»Da hast du den ersten Eindruck von Theresienstadt, Rosen«, flüsterte Weinberger und David biss die Zähne auf die Lippen, bis sie bluteten.

Die Kolonne ließ nun die Stadt Bauschowitz hinter sich. Die Häuser am Stadtrand wurden immer winziger und glichen heruntergekommenen Schuppen.

Hoch gewachsene Pappeln säumten die Landstraße. Sie spendeten den Marschierenden ein wenig Schatten.

Etwas mehr als drei Kilometer waren bis Theresienstadt zu marschieren gewesen. Schlapp vor Hunger und durstig dazu waren die Neuankömmlinge. Ihnen kam eine Gruppe Männer entgegen. Ihre Kleidung war verschmutzt und verschlissen. Staub lag auf den verschwitzten Gesichtern, in die Sorgen und Hunger ihre Kerben gegraben hatten. Müde schleppten sich die Männer durch die Gassen, kaum dass sie ihre Füße hoben. Die Holzpantinen klapperten hohl auf dem Pflaster.

David sah im Vorbeimarschieren eine Reihe niederer, grauer Steinhäuser. Das grelle Sonnenlicht zeigte deutlich die Spuren des Verfalls. Die Menschen, die der Kolonne begegneten und sich an die Häuserwände drängten, schienen scheu und voller Angst. Ihre Gesichter waren hager und zeugten vom Hunger, der hier umging. Weit schlotterte ihre Kleidung um die mageren Körper. Eine Gruppe Kinder, das älteste von ihnen vielleicht zehn Jahre alt, kam ihnen entgegen. Auch sie drängten sich ängstlich an die Hausmauern, zogen scheu und ergeben die Mützen und standen wie angenagelt.

David wunderte sich, dann aber erkannte er, dass dieser stumme Gruß nicht ihnen galt, sondern der Begleitmannschaft, den Gendarmen und den deutschen Wachen, den Männern der SS.

»Hier besteht Grußpflicht, Rosen«, flüsterte Weinberger David zu. »Wer das vergisst, der wird durch zehn Stockschläge überzeugend daran erinnert!«

Die Gruppe marschierte weiter. Neue Eindrücke drängten sich auf. Endlich bog der traurige Zug in einen Hof ein, der von hohen Steingebäuden umgeben war. David bemerkte, dass alle Fenster vergittert waren. Und hinter diesen Gittern, bis hinauf zum Dach, konnte er die blassen Gesichter der neugierig Zuschauenden entdecken, die begierig nach bekannten Gesichtern unter den Neuankömmlingen suchten.

Im inneren Hof waren lange Bänke und ebensolche Tische aufgestellt worden. Zerbeulte Blechschüsseln standen auf den Tischen. Verbogene Löffel lagen daneben. Und auf jedem der Blechnäpfe lag ein Brocken dunkles Brot. Es lag zum Greifen nahe und David begann zu schlucken. Ihm lief das Wasser im Mund zusammen und sein Magen knurrte.

»Niedersetzen«, befahl laut und heiser eine Stimme. Die Neuen befolgten den Befehl, setzten sich und starrten gierig auf den Brocken Brot vor sich. »Es wird gleich eine Portion Suppe zur Verteilung kommen«, gab dieselbe Stimme bekannt. Schon kamen aus einer Toreinfahrt junge Männer, die zwischen sich schwere Essenskübel schleppten. Ein dritter Mann teilte mit einer Kelle die Suppe aus. Er haute sie so heftig in die Schüsseln, dass sie umherspritzte und auf den Tischen Lachen bildete.

»Oi, oi, oi«, jammerte eine Alte, die trotz der Junihitze einen kostbaren Pelz trug, »sie stehlen unser Gepäck!« Sie sprang auf, so flink, wie es ihr niemand zugetraut hätte, und schrie: »Meinen Koffer will ich haben!«

Hinter den vergitterten Fenstern begannen die blassen Gestalten kreischend zu lachen. Auch die Burschen, die das Essen auftrugen, verzogen grinsend die Gesichter.

24

Die Alte aber gab keine Ruhe. Sie kreischte hysterisch nach ihrem Gepäck. Endlich beruhigte sie ein älterer Mann, der offensichtlich die Aufsicht führte. Laut und für alle hörbar erklärte er: »Das Gepäck wird nach der Erledigung aller Formalitäten ausgehändigt!«

Die Alte schien sich zufrieden zu geben. Vielleicht hatte sie auch nur keine Kraft mehr aufzubegehren.

David putzte den Blechlöffel an der Jacke ab. Er tat dies mechanisch, ohne nachzudenken. Die Suppe sah undefinierbar aus und so roch sie auch. Der Hunger aber ließ jeden Ekel schwinden. Jeder an den langen Tischen löffelte gierig die dünne Brühe und brockte das klitschige Brot hinein. So auch David. Er sah, dass in der Suppe Graupen schwammen. Auch Erbsen schienen darin zu sein und ein paar Kartoffelstückchen. Das Brot schmeckte faulig, aber der Hunger der Menschen fragte nicht danach. Sie verschlangen es, als wäre es Kuchen.

Die Löffel schrappten den letzten Rest aus den Schüsseln. Schon waren die Burschen da, die das Essen ausgeteilt hatten, und räumten die Essnäpfe fort.

Die Neuen saßen nun und warteten auf das, was kommen würde. »Die machen es spannend«, meinte Weinberger, der neben David saß, und der nickte bestätigend. Ehe er antworten konnte, kamen strammen Schrittes einige SS-Offiziere in den Hof. Sie stolzierten durch die Bankreihen, blieben bei dem einen oder der anderen stehen, blickten forschend in die Gesichter, die verdreckt und schweißverkrustet waren, und zogen sich dann an die Hauswand zurück, von wo sie einen guten Überblick hatten. Mit ihnen waren drei kleine Herren gekommen, denen man ansah, dass sie nicht zur Herrenrasse* gehörten.

Der Kleinste und Älteste von ihnen, ein Mann mit langem Bart und klugen Augen, stieg mit Hilfe der anderen auf einen Tisch und versuchte sich Gehör zu verschaffen. Das gelang nur sehr mühsam, und erst als einer der SS-Offiziere herrisch »Ruhe« brüllte, wurde es sekundenschnell still an den Tischen.

»Willkommen in Theresienstadt«, begann der Bärtige und fuhr fort: »Jeder von uns wird zu einer ehrlichen und nützlichen Arbeit verpflichtet und es wird erwartet, dass sie jeder nach besten Kräften erfüllt. Aber auch für Zerstreuung ist gesorgt. Es gibt Theatergruppen, die gute Stücke aufführen. Unsere Musiker veranstalten Konzerte, Kabarett wird euch unterhalten und Vorträge euer Wissen weiten. Wir sind hier eine Stadt wie viele andere Städte, wir haben hier eine jüdische Selbstverwaltung, Altersheime, Krankenhäuser!«

Weinberger stieß David in die Seite und flüsterte hinter der vorgehaltenen Hand: »Und im Himmel ist Jahrmarkt!«

---

* Die Nazis behaupteten von sich zur Herrenrasse zu gehören, die Juden dagegen seien Untermenschen.

David grinste breit, hörte aber weiter auf das, was der Bärtige auf dem Tisch mitteilte. »Vielen wird es nicht leicht fallen, sich an die neue Umgebung zu gewöhnen, aber wenn ihr guten Willen mitbringt, dann wird es euch gelingen, hier eine Heimat zu finden!«

Weinberger lachte leise in sich hinein und David war es, als mische sich in das Lachen ein unterdrücktes Schluchzen.

»Und nun kommen wir zu den Anordnungen, nach denen ihr euch zu richten habt. Es sind alle Wertsachen abzuliefern, die sich noch in eurem Besitz befinden. Dazu gehören auch Gegenstände wie Medikamente, Taschenlampen, Füllfederhalter. Und selbstverständlich Schmuck, Gold und Bargeld. Ich mache euch darauf aufmerksam, dass ihr leibesvisitiert werdet. Der Versuch, irgendeine Sache von Wert zu verstecken, kann eine Deportation nach Polen zur Folge haben!«

Hastig begann nun jeder in seinen Taschen zu kramen. Die Burschen, die das Essen gebracht hatten, waren plötzlich wieder zur Stelle und machten sich mit sicherem Gespür an die Menschen heran, die »nach Geld rochen«. Auch an die Alte im Pelz drängte sich ein rothaariger Kerl und hauchte ihr ins Ohr: »Wenn Sie noch Schmuck oder Gold bei sich haben, gnädige Frau, bei mir ist es gut aufgehoben. Ich werde nicht mehr visitiert und bringe es für Sie heraus, gegen zehn Prozent vom Wert!«

Die Alte drehte und wendete sich. Sie

schwitzte ungeheuer und griff, als der Bursche noch einmal von Polen zu sprechen begann und ihr in den dunkelsten Farben ausmalte, was sie dort zu erwarten hätte, verschämt nach allen Seiten schielend unter den Rock. Sie drückte dem Rotkopf etwas in die Hand und der verschwand schnell zwischen den Menschen. David sah ihn in einer Toreinfahrt stehen und verstohlen um sich blicken, bevor er sich hastig entfernte.

Fragebogen wurden ausgeteilt und weitergereicht. Bleistiftstummel gab es dazu. Frauen und Männer traten hinzu, stellten sich als Transporthilfen vor und waren beim Ausfüllen der Fragebogen behilflich. Es gab ein ziemliches Durcheinander.

»Wo sind wir hier?«, hörte David den Weinberger die Frau von der Transporthilfe fragen. Die sah den Mann aus Krefeld an, als würde er chinesisch reden. »Nebbich, in Theresienstadt«, erwiderte sie.

»Das weiß ich selbst«, hielt Weinberger dagegen. »Ich will wissen, wie das Gebäude hier heißt?«

»Das ist die Kavalier-Kaserne, Neuer! Sonst noch lebenswichtige Fragen offen?« Sie hatte es sehr schnippisch gesagt und ließ sich in ihrer Arbeit nicht stören. Endlich sah sie auf und reichte Weinberger und David Karten, auf denen mit Schreibmaschine etwas geschrieben stand. »Das ist euer Ausweis. Den müsst ihr immer bei euch tragen. Er ist für euch so wichtig wie Essen und Trinken. Ohne ihn seid ihr hier im Getto ein Niemand . . . oder noch weniger!«

»Was ist das für eine Nummer, die hier steht?«, fragte David, und die Frau von der Transporthilfe erklärte: »Das ist deine Transportnummer. Unter dieser Nummer wirst du in Theresienstadt geführt. Nur mit dieser Nummer existierst du für die Deutschen. Du verstehst mich hoffentlich!«

David verstand. Krampfhaft hielt er die Pappkarte mit der Nummer darauf in der Hand.

Eine ganze Weile tat sich nichts. Die Frauen und Männer von der Transporthilfe schrieben hastig die Personalien in die Listen und händigten die Pappkarten aus. Die schlanken, hoch gewachsenen SS-Offiziere in ihren gepflegten Uniformen schienen sich zu langweilen. Bewusst gleichgültig bahnten sie sich mit federnden Schritten eine Gasse durch die Menschenmassen. Sie schienen die verdreckten, hungernden und todmüden Juden kaum zu sehen. Scheu drückten diese sich vor den Deutschen auf die Seite, wichen ihnen aus und zogen ergeben die Mützen vor den Herrenmenschen.

David starrte immer noch auf die Nummer, die er in der Hand hielt, und sah nicht, wie einer der Offiziere auf ihn zukam. Er sah auf und blickte in die wasserblauen Augen des Deutschen, die den Jungen, der ihm im Weg stand, kalt musterten. David wollte ihm ausweichen, doch da traf ihn schon ein Hieb mit der Reitgerte. Der Schlag traf David im Gesicht. Brennend wie Feuer fühlte er den Schmerz auf seiner linken Wange. Er sprang zur Seite, machte dem Offizier Platz. Der ging weiter, so, als sei nichts geschehen.

David fühlte, wie ein feines Rinnsal Blut aus der Wunde trat, griff sich ins Gesicht und verwischte das Blut bis hinab zum Kinn.

»Nimm die Finger aus dem Gesicht. Du kannst dir hier keine Infektion leisten«, raunte Weinberger ihm zu und David tat, wie der andere ihm riet.

»Wenn das verheilt ist, dann siehste aus wie ein Student nach der Pauke!«

David hörte kaum, was Weinberger sagte. Eine unbändige Wut war in ihm hochgestiegen. Das Blut stieg ihm zu Kopf und ließ ihn leise fluchen. In diesem Moment stand ein Mann neben ihm, der ihn in den Arm kniff, dass er schmerzhaft zusammenzuckte. Leise sagte er: »Stillhalten, Junge, schluck deinen Zorn hinab. Du hast soeben deine erste Erfahrung mit Theresienstadt gemacht. Merke dir, wenn du überleben willst, dann bleib hübsch unauffällig im Hintergrund. Regel Nummer eins ist: Nicht auffallen!« Die Stimme des Mannes hatte die raunzende Weichheit der Wiener. Sie beruhigte David.

Weinberger verbeugte sich vor dem alten Herrn und stellte sich vor. Der Alte sah ihm prüfend in das Gesicht, dann sagte er und blickte auf die Liste, die er mit sich trug: »Zu

Ihnen wollte ich, Herr Kollege! Sie sind Kinderarzt, wie aus der Transportliste ersichtlich ist?«

»Ja«, erwiderte Weinberger und in seiner Stimme klang Stolz mit, »und ein recht guter dazu!«

»Männer wie Sie brauchen wir hier, dringender noch als das tägliche Brot! Ich frage Sie und schließe in meine Frage die Bitte ein, wollen Sie im Kinderkrankenhaus praktizieren, Herr Kollege?«

»Was fragen Sie? Ist das nicht selbstverständlich? Wozu habe ich diesen Beruf, wenn ich hier nicht helfe!«

Der Alte griff nach Weinbergers Händen und schüttelte sie so lange und heftig, dass Weinberger verlegen wurde und sie ihm entzog. »Mit wem habe ich die Ehre?«, fragte er und lächelte, als der Alte sich wie entschuldigend an die Stirn schlug: »Ich werd alt, Kollege Weinberger! Friedmann ist mein Name, ich leite das Kinderkrankenhaus! Ich freue mich sehr auf die Zusammenarbeit!«

Doktor Weinberger unterbrach den Alten. »Ich habe da einen Helfer, den ich nicht verlieren möchte. Wir kennen uns aus Riga, wo er mir gute Hilfe leistete bei meinen Kranken!« Weinberger log ohne jeden Skrupel und schob David einen Schritt vor. »Mein Helfer und Landsmann, David Rosen!«

David hatte sofort verstanden, dass sich hier eine Chance bot, die vielleicht Überleben bedeutete. Er quetschte sich eine Verbeugung ab, die

Friedmann amüsiert lächelnd zur Kenntnis nahm.

»So, du bist der Adlatus vom Kollegen Weinberger? Mir soll es recht sein, denn Helfer können wir in dieser Lage nicht genug haben!« Er schaute sich heimlich nach allen Seiten um und sagte dann sehr leise: »Ich werde Sie und den Jungen so schnell wie möglich aus der Schleuse holen. Wie schnell das geht, kann ich jetzt noch nicht sagen, wohl aber, dass ich alles daransetzen werde. Bis dahin halten Sie sich zurück. Es gibt viel Lumpenpack unter den Beschäftigten. Ich meine nicht nur die Gendarmen, auch die eigenen Leute sind mit Vorsicht zu betrachten. Hier denkt jeder nur an den eigenen Vorteil. Hier gilt nur, fressen oder gefressen werden! Also, Obacht geben, Herr Kollege, und niemandem vertrauen. Ich lasse bald wieder von mir hören und hole Sie beide aus der Schleuse!« Doktor Friedmann nickte noch einmal flüchtig und verschwand schnell in der Menge der Wartenden.

Lange noch saßen die Neuen im Hof. Die Schreiber der Transporthilfe beeilten sich, denn auch sie wollten zurück in ihre Unterkünfte. Endlich schien ein Ende in Sicht. Ein Mann, mager und hohlwangig, mit einer durchdringenden Kastratenstimme, schrie auf die Menschen ein, die erschöpft und schon halb schlafend auf den Bänken hockten: »Ihr seid nun in die Transportlisten von Theresienstadt aufgenommen und habt eine Transportnummer erhalten. Diese Nummer ist von nun an das Wichtigste für euch.

32

Ohne diese Nummer gibt es keine Kleider-punkte, keine Essenskarte, es gibt einfach nichts! Ihr werdet nun für kurze Zeit in der Kavalier-Kaserne Unterkunft finden. Sucht euch einen Platz zum Schlafen. Es dauert nicht lange und ihr werdet in andere Kasernen verlegt, in denen ihr leben werdet, solange ihr in Theresienstadt wohnt. Folgt nun den Anordnungen der Ord-nungskräfte und erleichtert ihnen die schwere Arbeit!«

Die SS-Offiziere verließen den Hof. Sie gin-gen mit strammen Schritten und trugen den Kopf hoch erhoben.

Die Neuen, unter denen sich Weinberger und David befanden, wurden von den Ordnern in den Keller geführt. In einen engen Raum ohne jede Einrichtung drängten sie die Männer und schoben einen Riegel vor die Tür. Dunkel war es hier. Nur schwach erhellte eine Glühbirne von der Kellerdecke her den Raum. Es roch mo-dernd in ihm, und als David sich erschöpft auf den Boden setzte, griff er in einen Haufen Unrat. Angewidert versuchte er die Hand an dem rauen Putz der Mauer abzuwischen. Es gelang ihm kaum.

Bald verlangte die Müdigkeit nach Schlaf. Wie lange er den Schlaf der Erschöpfung geschlafen hatte, wusste David später nicht zu sagen. Er wurde wach, als eine laute Stimme Nummern in die stickige Dunkelheit brüllte. Nur langsam kam David zu sich. Und mit einem Mal kam ihm zu Bewusstsein, dass diese Nummern ihre

Nummern waren, seine Nummer und die des Fred Weinberger.

»Weinberger, Rosen«, schrie nun die Stimme ärgerlich. »Herkommen!«

David griff nach der Hand des Fred Weinberger und drückte sie. Sie erhoben sich und suchten sich tastend einen Weg durch die am Boden liegenden Menschen.

Der Mann vom Transportdienst schnauzte böse: »Wenn ich eure Nummern aufrufe, dann meldet ihr euch mit einer lauten Antwort, verstanden?«

Nur nicht auffallen, dachte David und sagte ein lautes »Jawohl«.

Im Hof der Kavalier-Kaserne stand der kleine Doktor Friedmann. Als David ans Tageslicht trat, schwindelte ihn. Alles begann sich um ihn zu drehen und das Licht blendete ihn so sehr, dass es in den Augen stach. Fred Weinberger sah es und stützte David. Der Mann vom Transportdienst meldete: »Hier sind die zwei Neuzugänge Weinberger und Rosen, Herr Professor!«

Doktor Friedmann streckte Weinberger beide Hände entgegen. Herzlich sagte er: »Baruch haba, auf gute Zusammenarbeit, lieber Kollege Weinberger!«

David sah sich um. Um den Hof herum gebaut standen die Kasernengebäude. Ihre Fenster waren vergittert und machten so den Eindruck von heruntergekommenen Gefängnissen. Aus den Kasernen kam ein Dauergeräusch, das an das gereizte Summen eines aufgescheuchten Bienenstocks erinnerte.

Doktor Friedmann nahm das Gespräch wieder auf. »Sie werden Ihren Dienst in der Kavalier-Kaserne tun, Kollege! Kommen Sie, wir wollen uns Ihre neue Wirkungsstätte ansehen!« Er ging voran und winkte den beiden ihm zu folgen. Als sie auf der ausgetretenen Holzstiege standen, sagte Friedmann: »Sie können in Ihrer Ordination wohnen, Kollege. Ein Lager steht bereits dort. Ihr Vorgänger schlief auch schon da. Seien Sie froh, es ist ein Privileg, das Sie mit dieser Unterkunft haben. Sie müssen nicht in die überfüllten Massenquartiere!« Er kramte in seiner Jackentasche, fand den Zettel, den er suchte, und drückte ihn Weinberger in die Hand. »Gut verwahren, den Wisch«, sagte er, »es ist Ihre Zuweisung!«

Dann reichte er auch David ein Stück Papier. »Hier ist deine Zuweisung, sie ist für die Hamburger Kaserne ausgestellt. Von dort bis hierher ist es nicht weit! Und nun kommt, wir wollen uns beeilen, ich habe nicht viel Zeit. Die Kranken warten!«

Der kleine Mediziner stieg so schnell die Stufen hoch, dass David und Doktor Weinberger ihm kaum folgen konnten. Ununterbrochen berichtete Friedmann unter asthmatischem Keuchen: »Wir sind etwa zweihundert Ärzte in Theresienstadt und arbeiten unter Bedingungen, die Sie sich kaum vorstellen können. Tausend Pfleger, Schwestern und unausgebildete Kräfte stehen uns zur Seite und doch ist der Kampf gegen die Krankheit eine echte Sisyphusarbeit. Es gibt kaum Medikamente, wir operieren hier wie in der Steinzeit. Es ist, gelinde gesagt, eine verfluchte Sauerei!«

Keuchend hielt er unter dem Dach an. Höher ging es nicht mehr.

»Hier befindet sich eine Kinderstation und eine kleine Psychiatrische. Etwa zwanzig Verwirrte befinden sich auf dieser Station.«

Doktor Friedmann schlug mit der Faust gegen die Tür. Es dauerte eine Weile, bis ein Pfleger sie öffnete und die drei eintreten ließ. Friedmann schob Weinberger in das nächstgelegene Zimmer. Der Putz fiel von den Wänden und mehr als die Hälfte der Fensterscheiben war zerbrochen. Die Betten waren aus rohen, ungehobelten Brettern zusammengenagelt und in ihnen befanden sich Säcke, mit Stroh oder Sägemehl gefüllt. In jedem der Betten lagen zwei Kinder.

Wie entschuldigend sagte der kleine Arzt: »Irgendwie müssen wir die Kranken ja unterbringen und es fehlt eben an Betten!«

Weinberger war an eines der Krankenlager getreten und hatte das Krankenblatt genommen, das am Fußende angebracht war. Er las, studierte den Verlauf der Fieberkurve und beugte sich dann über die Kinder, ihren Puls ertastend. Beruhigend sprach er auf die Kranken ein.

Inzwischen machte Friedmann seine Runde. An jedem Lager blieb er stehen, für jedes Kind hatte er ein liebevolles Wort, und David sah, wie vertrauensvoll die Blicke der Kinder auf den weißhaarigen Alten gerichtet waren.

»Ich bringe euch hier den neuen Doktor. Er wird euch bald gesund machen, denn er ist ein guter Kinderdoktor und versteht was von seinem Geschäft«, berichtete er mit ruhiger, Vertrauen erweckender Stimme. Dabei legte er seine Hand auf das hochrote, fieberheiße Köpfchen eines Kindes. Zornig blickte er sich um, sah dem Pfleger, der an der Tür stand, ins Gesicht und fragte: »Warum wurde hier kein Wadenwickel angelegt?«

»Ich habe zu viel zu tun«, entschuldigte sich der Pfleger, »aber ich werde es sofort erledigen!«

»Das will ich hoffen! Doktor Weinberger wird sich darum kümmern. Er bleibt hier! Ist das Bett in der Ordination hergerichtet?«

»Jawohl, Herr Professor, es ist alles bereit!«

»Auf Wiedersehen, Kinder«, verabschiedete sich Friedmann.

»Auf Wiedersehen, Herr Professor«, antworteten die Kinder so fröhlich, dass David staunte und für einen Moment vergaß, wo er sich befand.

Sie gingen den langen Flur entlang, dessen Wände schmutzig grau waren vom Staub vieler Jahrzehnte. Am anderen Ende des Flures zog der Pfleger einen Schlüssel aus der Tasche und schloss die Tür auf. Sie traten in das verwinkelte Dachzimmer ein, das sein Tageslicht nur durch eine winzige Dachluke erhielt.

David schrak zurück, als er die Lagerstatt sah,

die den Raum fast ausfüllte. Sie reichte bis unter die Zimmerdecke und war in drei Etagen unterteilt. Die Kranken hockten auf dem Boden inmitten stinkender Lumpen und Trödel. Kaum einer von ihnen achtete auf die Besucher. Dumpf starrten sie vor sich hin, schaukelten monoton mit ihrem Oberkörper oder brabbelten unverständliches Zeug.

»Hier können wir nichts anderes mehr tun als verwahren. Es sind die aussichtslosen Fälle, die hier untergebracht wurden. Für diese Männer brauchen wir Hilfe. Hier könnte der junge Mann zeigen, was in ihm steckt!«

Als David das vernahm, erschrak er so sehr, dass sein Blut aus dem Gesicht wich. Er fasste sich aber schnell wieder und tat so, als würde ihn nichts umwerfen.

Doktor Friedmann sprach schon wieder: »Eigentlich sollte man erstaunt sein, wie wenige wahnsinnig wurden unter diesen Verhältnissen. Es ist für mich der beste Beweis für die Vitalität der Juden. Sicherlich, wir haben immer wieder Fälle von Psychosen zu beobachten, auch Neurosen sind nicht selten, aber die meisten der Kranken fangen sich schnell wieder und finden sich mit der Situation ab!«

Im Treppenhaus nahm Doktor Friedmann Abschied. »Dann wünsche ich Ihnen für Ihre Arbeit viel Erfolg, Kollege! Und dir, Junge, mehr als das, denn du hast wohl die schwerste Arbeit zu übernehmen!« Er stieg die Treppe hinab, wendete vor dem ersten Absatz noch einmal den Kopf und rief: »Na, dann viel Glück!«

Zwei Wochen waren seit der Begegnung mit Doktor Friedmann vergangen.

David fand bald seinen Schlafplatz im Jugendheim in der Hamburger Kaserne. Ihm war alles sehr fremd gewesen und er fühlte sich sehr allein, obwohl er sich inmitten von aufgeregten, laut redenden und immer eiligen Jugendlichen befand, die aus allen Teilen Deutschlands und anderer Staaten hierher gebracht worden waren.

Kaum hatte ihm der Stubenälteste seinen Schlafplatz zugewiesen, wurden ihm die Haare geschoren. Die Schermaschine war stumpf und riss mehr, als sie schnitt. Der Leiter versorgte ihn mit der Essenskarte und auch eine Art Kleiderkarte erhielt er. Dann wurde ihm die Heimordnung bekannt gegeben. Punkt für Punkt las der Leiter sie vor. »Halte dich genau an die Ordnung, dann werden wir uns verstehen. Solltest du aber meinen, deine eigenen Wege gehen zu können, dann wirst du Schwierigkeiten haben, die dir nicht gefallen werden. Unser Jugendheim steht im Wettbewerb mit anderen Heimen und wir haben einen guten Platz errungen. Hilf mit, dass wir diesen Platz auch weiterhin verteidigen können! Wir haben uns doch verstanden, oder?«

David hatte verstanden. Er sagte sein Ja dazu und verließ das Büro des Leiters. Ein wenig benommen war er und fand nicht gleich den Weg zu seinem Schlafplatz. So schlich er durch die

Räume des Jugendheimes. Was er zu sehen bekam, war nicht dazu angetan, Hoffnung in ihm aufrechtzuerhalten. Überall herrschte drangvolle Enge. Die Betten waren dreigeschossige Stellagen. Etwa zehn Jungen fanden hier ihren Schlafplatz. Für jeden gab es eine dünne Decke. Die persönliche Habe musste im Bett untergebracht werden, denn es gab kein Spind dafür, und wer einen Nagel fand um daran sein Eigentum aufzuhängen, der empfand sich schon als privilegiert.

Die Hamburger Kaserne war, wie alle Unterkünfte, uralt und heruntergekommen. Die meisten der Häuser stammten aus der österreichischen Zeit, viele Kasernen und Kasematten waren noch unter der Kaiserin Maria Theresia angelegt worden. Dann zogen die Soldaten der Tschechischen Republik hier ein, um dann wieder Platz zu machen für ein jüdisches Getto.

Endlich fand David zu seinem Lager. Ein dicklicher Junge, etwa so alt wie er selbst, mit blonden Haaren und blauen Augen, kehrte den Boden mit einem Reisigbesen und machte seine Arbeit so gründlich, dass der Staub wie eine graue Wolke im Zimmer hing.

David stand eine Weile, hustete und machte so den Dicken auf sich aufmerksam. Der stellte den Besen an die Wand und kam auf David zu. Er musterte ihn eindringlich und hielt den Kopf dabei zur Seite geneigt. »Du bist der Neue, wie?« Er wartete erst gar nicht auf eine Antwort, wies auf einen Koffer, der auf einem Schemel lag, und sprach weiter: »Die vom Transport haben deinen Koffer gebracht!« Er reckte David die Hand entgegen. »Ich bin Karl Milar und komme aus Berlin!«

»Ich heiße David. David Rosen, und ich komme aus dem Ruhrgebiet!«

»Haste eene Zigarette für mich, David?«, fragte der Dicke und leckte sich schon die Lippen in Gedanken an den bevorstehenden Genuss.

David schüttelte den Kopf.

Sofort ließ der Dicke den Kopf hängen und zog die Lippen hinab, als wollte er gleich zu heulen beginnen.

Eine Stimme, die aus der obersten Etage des Bettenturmes kam, lachte meckernd: »Du verkaufst noch deine Seele für eine Schachtel Zigaretten, Dicker!«

Ein Zweiter, der irgendwo im Bettenturm versteckt war, mischte sich ein: »Für eine Schachtel? Für eine Schachtel verkauft er ganz Israel!«

Der Dicke schien diese Art der Anpflaumerei schon gewöhnt zu sein, denn er reagierte nicht darauf. »Schade«, sagte er, »du ahnst nicht, wie sehr mir die Lunge pfeift!«

David öffnete den Koffer, schaute hinein und durchwühlte die wenigen Kleidungsstücke, die sich darin befanden. Karl Milar war schon wieder neben ihm. »Haste wenigstens etwas, wat wir eintauschen können gegen Zigaretten?«

Aus der dritten Etage kam wieder die sich einmischende Stimme: »Lass dich nicht einlullen,

Neuer! Halte deine Sachen fest, du wirst sie noch nötig brauchen!«

David schloss den Koffer wieder, sah sich suchend um und fragte Milar: »Wo kann ich den Koffer unterbringen, Karl?«

»Wo? Dumme Frage! Natürlich am Kopfende vom Schlafplatz. Du liegst übrigens neben mir!« Er machte eine Pause, sah sich sein Gegenüber an und meinte dann: »Hoffentlich schnarchste nich, det macht mich verrückt!«

Der Unsichtbare aus dem Bettenturm ließ sich wieder hören: »Pass auf, Neuer, dass dir der Dicke nicht an die Wäsche kommt, und gib ihm gleich eins auf die Pfoten!«

Karl Milar bekam einen roten Kopf und griff verlegen nach dem Besen. Er kehrte so heftig, dass der Staub hochwirbelte.

So hatte es sich vor zwei Wochen in der Hamburger Kaserne angelassen. Nun war er schon von den »alten Theresienstädtern« als einer der Ihren anerkannt. Sie hatten ihm ihre Ejzes gegeben und diese guten Ratschläge zahlten sich für David aus. Er lernte durch sie viel schneller, was notwendig war um hier in der qualvollen Enge des Gettos zu überleben. Nun besaß er einen Nagel, den er in den Bettpfosten einschlug, um an ihm die wenigen Dinge aufzuhängen, die ihm geblieben waren.

An den Abenden, wenn zwischen acht und zehn Uhr Freistunden angesagt waren, kamen gelegentlich Herren zu ihnen, die einmal hervorragende Wissenschaftler, Künstler und Gelehrte gewesen waren, bevor sie der Rassenwahn in den grausamen Abgrund des Gettos gestürzt hatte. Die Männer setzten sich zu den Jugendlichen, lehrten sie ihr Wissen, diskutierten mit ihnen. Schriftsteller lasen aus den Büchern, die einmal gedruckt werden sollten, wenn diese böse Zeit vorbei war, Schauspieler rezitierten Gedichte der Klassiker Lessing, Schiller und Goethe.

Aber auch weniger Gutes gab es aus dem Jugendheim zu berichten. Es kam immer wieder zu Schlägereien. Meist ging es um die Essenszuteilungen. Da flogen dann die Fetzen, denn Hunger tut verdammt weh und besonders dann, wenn man glaubt, dass ein anderer sich auf Kosten der Allgemeinheit bereichert.

Auch wegen der andauernden Verschmutzungen der Aborte gab es oft Streit. Niemand wollte es gewesen sein und niemand war bereit freiwillig die Sauberkeit wieder herzustellen. Da blieb dem Leiter nichts anderes übrig als Zwang anzuwenden und mit dem Transport zu drohen.

Gestohlen wurde, was nicht niet- und nagelfest war. Es wurde an die verramscht, die noch ein wenig Essen oder Tabak bieten konnten.

Auch David musste gleich in den ersten Tagen den Verlust eines warmen Pullovers hinnehmen. Da half kein Fluchen und Schimpfen, er blieb verloren und niemand wusste, wer der Dieb gewesen war. Und da David schon am eigenen Leibe erfahren hatte, wie weh Hunger tun kann, bekam er mit dem unbekannten Dieb Mitleid.

So vergingen die ersten Tage für David in der neuen Umgebung. Sie brachten viel Neues und verlangten Kraft.

Um fünf Uhr fünfundvierzig war die Nacht herum.

Man schläft unruhig und hat die seltsamsten Träume, wenn der Hunger in den Eingeweiden grimmt. Auch David Rosen musste das fast jede Nacht erfahren. Die Hungerträume waren so realistisch, dass die Hungernden sich oft in den Unterarm bissen, weil der Traum ihnen eine Mahlzeit vorgaukelte.

»Aufstehen«, brüllte der Leiter mit heiserer Stimme und zog dem Schläfer, der am nächsten lag, die Decke fort. »Fenster auf, es stinkt wie im Affenstall!« So schnell, wie er gekommen war, hatte er die Stube schon wieder verlassen.

Die Jungen räkelten sich, dann zwängten sie sich aus der Zehnerreihe ihres Lagers, denn es war unbeschreiblich eng hier. Immer musste man den Kopf einziehen, wenn man nicht Gefahr laufen wollte, ihn sich an den Latten der oberen Stellage zu stoßen.

Der Ansturm auf die Aborte begann, denn der andauernde Hunger brachte mit sich, dass der Darm verrückt spielte.

An der einzigen Wasserzapfstelle gab es Gerangel. Jeder wollte Erster sein, wollte schnell fertig werden. David hatte inzwischen seinen Schlafplatz glatt gestrichen und die Decke so gefaltet, wie der Leiter es sehen wollte.

Der Küchendienst brachte den Kaffee. Er schmeckte nach nichts, aber er war lauwarm bis warm und sah aus wie Kaffee. Es gab eine Scheibe Brot dazu. Fünfzig Gramm schwer sollte die Schnitte sein, aber meist war es weniger, denn die Küchenbonzen sorgten zuerst für sich.

Das Brot schmeckte widerlich bitter. Wer weiß, was sie da verarbeitet haben, dachte David, biss aber trotzdem einen Bissen ab und kaute mit langen Zähnen darauf herum. Man muss essen, wenn man überleben will, das war ihm längst klar geworden, und überleben, ja, überleben wollte er, das hatte er sich vorgenommen.

Er schluckte den letzten Bissen Brot hinunter und trank die lauwarme braune Brühe nach.

»Lass den Becher stehen, ich wasche ihn für dich aus«, sagte der dicke Milar und grinste ein wenig. »Sieh du nur zu, dass du zu deinen Meschuggenen kommst!«

David nickte und ging. Auf dem Flur meldete er sich beim Leiter ab.

Die Arbeit in der Psychiatrischen Abteilung war jeden Morgen dieselbe. Da wurde es nötig, die Kranken zu reinigen, den Kot von den dürren Körpern zu waschen und mit Lumpen zu trocknen, die wohl schon tausendmal gewaschen worden waren. Ihr Weiß hatte inzwischen eine erdbraune Farbe angenommen.

David lernte schnell. Er begriff, dass die meisten der Kranken nichts von ihrer Umwelt wahrnahmen, dass sie so tief in sich gekrochen waren, bis sie sich verloren hatten. David fand, dass es für die Kranken eine Erlösung war. Ihr Geist hatte die Erniedrigung nicht verkraftet und sich einfach geweigert weiterhin zu funktionieren.

Die allmorgendliche Fütterung begann. Es war für David nicht leicht, die Patienten dazu zu bringen, dass sie ihr Brot zu sich nahmen. Einige spien es gleich wieder aus, kaum dass David es ihnen auf die Zunge gelegt hatte. Andere wiederum spielten mit dem Brot, zerbröselten es und warfen es umher. Dann saßen sie wieder wie jeden Tag auf dem Boden und starrten vor sich hin, stundenlang.

Für David begann die andere Arbeit. Auch sie wiederholte sich jeden Tag. Da waren die Lagerstätten zu reinigen, der Boden zu fegen, aber auch Brom für die erregten Kranken auszuteilen. Er hatte nie geahnt, wie schwer diese Arbeit sein würde. Doktor Weinberger sagte ihm oft, wie sehr er mit ihm zufrieden wäre, und das erfüllte den Jungen mit Stolz.

Endlich hatte er seine tägliche Arbeit geschafft. Er verließ das Krankenzimmer und schloss die Tür hinter sich ab. Schnell ging er die wenigen Schritte über den Korridor zur Ordination des Doktor Weinberger. Er klopfte an und betrat dann das Zimmer. Doktor Weinberger war gerade dabei, einen seiner kleinen Patienten zu verbinden. Er schaute nur kurz auf und wies stumm auf einen Stuhl. David setzte sich und sah dem Arzt bei seiner Tätigkeit zu. Bald schon war die Wunde verbunden und nach einem Klaps hob Weinberger das Kind auf den Boden. Gleich rannte der Junge auf David zu, der ihm die Arme entgegenstreckte und ihn fest an sich drückte.

»Spielst du wieder Kasperltheater mit uns, David?«, fragte der Kleine, und als David Doktor Weinberger ansah um dessen Meinung zu erkunden, nickte der zustimmend.

»Ja, wenn du das willst, Jossele, dann wollen wir den Kasperl mal fragen, ob er Lust hat für euch seine Späße zu machen!« – »Ja, David«, lachte da Jossele und eine freudige Röte tönte das blasse, hohlwangige Gesichtchen. »Frag ihn, David, und sag ihm, wir alle bitten ihn ganz lieb!«

»Dann lauf zu den anderen und sage ihnen, dass der Kasperle sich fertig macht und schnell zu euch kommt, damit ihr alle bald ganz gesund werdet!«

Da rannte Jossele los und schon im Korridor informierte er mit heller Stimme alle über Kasperles Auftritt.

»Da hast du dir Freunde fürs Leben geschaffen, David! Deine Idee, aus den alten Lumpen Kasperlpuppen herzustellen, ist mehr wert als die besten Medikamente der Welt!«

Verlegen kramte David aus einem Pappkarton, der in einer Ecke des Ordinationszimmers stand, seine Puppen und sagte: »Dann will ich mal wieder die Puppen tanzen lassen!«

»Ich komme gleich nach, David, fang aber ruhig schon an«, meinte der Arzt und erledigte noch eine Schreibarbeit.

Als David das Krankenzimmer betrat, hingen die Augen der kleinen Patienten erwartungsvoll an ihm. Schnell war eine Schnur gespannt und eine Decke darüber gehängt und schon konnte das Spiel beginnen.

Kasperle kam mit heiterem Tritratrallala auf die Spielfläche und verstand durch sein Spiel Freude zu bringen und die Krankheit für eine Zeit vergessen zu lassen.

Doktor Weinberger kam, setzte sich auf das Bett eines Mädchens und freute sich zu sehen, wie froh es wurde und die Schmerzen vergaß.

»Komm bald wieder, Kasperle«, rief Jossele David nach, als der nach einer Stunde das Krankenzimmer verließ, und es war so viel Dankbarkeit in seiner Stimme, dass eine innere Freude in dem Puppenspieler aufkam.

Am Nachmittag keuchte eine Ärztekommission die Treppe hinauf. Sie bestand aus jüdischen Ärzten, aber auch ein Arzt in SS-Uniform war darunter. Gründlich untersuchten sie die psychisch Kranken und füllten gewissenhaft Fragebögen aus. Überwacht wurde die Untersuchung von den beobachtenden Augen des Deutschen in Uniform. Er ließ der Kommission völlige Freiheit, griff nicht einmal ein und behielt seine Glacéhandschuhe an den Händen.

Nach weniger als einer Stunde hatte die Ärztekommission ihre Arbeit beendet. Als die Herren die Mansardenstube verließen, zog David seine Mütze. Er hatte gelernt, dass dies in Theresienstadt üblich war.

Kaum waren die Ärzte auf der Treppe, da kam der Kinderpfleger aus einem Verschlag. Noch lag Angst auf seinem Gesicht. »Sind sie fort?«, fragte er und atmete auf, als David erwiderte: »Sie sind schon im Treppenhaus!«

»Bald wirst du weniger Patienten haben, Rosen! Sie haben die Unheilbaren selektiert. In den nächsten Tagen gehen die auf Transport!«

Naiv fragte David: »Und was geschieht dann mit ihnen?«

Der Pfleger wurde böse: »Bist du so dumm oder willst du mich ärgern? Die Kranken sind in den Augen der Herrenmenschen unnütze Fresser und gehören also weg!«

David fühlte, wie eine Gänsehaut seinen Rücken hinaufkroch.

»Du kannst schon Kaddisch für die Männer sagen. Sie sind schon jetzt so gut wie tot!«

Drei Tage später wurden vierzehn der Kranken von der Psychiatrischen Station auf Transport gebracht. Niemand wusste, wohin die Reise ging, wohl aber, dass am Ende der Tod wartete.

II

Ohne jede Ankündigung verlor David seine Arbeit auf der Psychiatrischen. Als er wie jeden Morgen, früh um sechs Uhr, »seine« Kranken für den Tag herrichten wollte, stand ein Beauftragter der Verwaltung vor dem verschlossenen Krankenzimmer. Er trug einen Befehl für den Jungen mit sich, den er diesem reichte.

»Was soll ich damit?«, fragte David und drehte das Schreiben unentschlossen in der Hand.

»Lies es, dann weißt du es! Erst aber quittiere den Empfang hier!« Er zückte einen Bleistift und hielt David eine Kladde hin. »Hier musst du unterschreiben!«

David tat, wie der Bote verlangte, und der zog sich sofort ohne jedes weitere Wort zurück.

Aus dem Krankenzimmer hörte der Junge ein Rumoren, das ihn veranlasste die Tür aufzuschließen und nach den Kranken zu sehen. Er schob das Schreiben in die Hosentasche und machte sich an die Arbeit. Gegen zehn Uhr war er fertig und seine Kranken saßen gewaschen und abgefüttert auf dem Fußboden.

Als er auf dem Korridor die Eingangstür klappen hörte, wusste er, dass Doktor Weinberger gekommen war. Jeden Morgen kam er um diese Zeit von der Besprechung zurück.

Sofort erinnerte sich David an das Schreiben

und zog es aus der Tasche. Er setzte sich auf einen Schemel, der neben der Tür stand, und las:

»Ab sofort endet Ihre Tätigkeit im Krankendienst. Sie haben sich am 4. Juni 1942 im Büro der Arbeitszentrale einzufinden um in Ihre neue Arbeit eingewiesen zu werden.«

Es folgte eine unleserliche Unterschrift.

David stand eine Zeit lang unschlüssig, dann ging er um Doktor Weinberger zu informieren.

Der Arzt las das Schreiben immer wieder. Er versuchte etwas aus den Zeilen herauszulesen, kam aber zu keinem Ergebnis.

»Weiß der Kuckuck, wem deine Nase nicht gefällt, David. Aber wenn die allmächtige Bürokratie etwas befiehlt, kann man nichts machen. Besonders hier ist man ihr auf Gedeih und Verderb ausgeliefert!«

David wusste, dass der Arzt Recht hatte. Man war rechtlos und wehrlos. So zuckte er mit den Schultern und fragte: »Darf ich trotzdem vorbeikommen, wenn ich Fragen habe oder einen Rat brauche?«

»Jederzeit, Junge! Und bleib ruhig, reg dich nicht auf. Im Grunde ist es doch vollkommen gleichgültig, was du für eine Arbeit machst. Wichtig für dich ist nur eins: die Zeit hier und die braune Pest zu überleben!«

»Ich gehe nur sehr ungern, Doktor. Die Kinder waren mir doch sehr lieb geworden und ich glaube, ich konnte auch ein wenig Freude in ihr Leben bringen!«

Weinberger stand auf. Man konnte ihm ansehen, dass er einen schnellen Abschied wollte. Er reichte David die Hand, und als der sie nahm, drückte er sie fest. »Komm vorbei, wenn du Freizeit hast, und berichte mir, wohin sie dich gesteckt haben. Und verzeih mir, wenn ich keinen Versuch unternehme dich hier auf der Station zu halten. Es hätte doch keinen Zweck und ein Held bin ich auch nicht. Und nun geh, ich habe zu tun!« Weinbergers Stimme klang rau. Er wandte David den Rücken zu und beschäftigte sich mit dem Ordnen von Krankenpapieren.

David ging. Er verließ das Ordinationszimmer leise und zog die Tür geräuschlos hinter sich ins Schloss. Auf dem Korridor begegnete er dem Kinderpfleger. Ihm übergab er den Schlüssel zur Psychiatrischen. Der Pfleger nahm ihn und schien überhaupt nicht überrascht zu sein. David vermutete, dass er an der Tür zur Ordination gelauscht hatte.

Als der Junge die Krankenstation verließ, rief der Pfleger ihm nach: »Alles Gute, Rosen, und lass dich nicht unterkriegen!«

Herr Pinkas, der Heimleiter, sah David fragend an, als der zu einer völlig unpassenden Zeit in das Heim kam. Bevor er seine Frage stellen konnte, reichte David ihm das Schreiben der Arbeitszentrale. Herr Pinkas las es flüchtig und reichte es zurück.

»Hast du was ausgefressen?«, fragte er und winkte sofort darauf ab, »nebbich, dann würdest du ein anderes Schreiben bekommen oder gleich in den Bunker gesteckt. Morgen früh weißt du mehr, Rosen. Mach dich heute mal im Heim nützlich. Der Milar musste zum Zentralsekretariat, Abteilung Sippenforschung!« Herr Pinkas ließ David stehen und ging in sein Büro, das gleichzeitig für ihn und drei Mitarbeiter als Unterkunft diente. David hörte, wie er vor sich hin nuschelte: »Möcht nur wissen, was es da zu forschen gibt!«

David nahm den Reisigbesen und stöberte so gründlich den Staub auf, dass die, die krank waren oder schon von der Arbeit zurück, heftig und lautstark protestierten.

David hörte nicht hin, er arbeitete wie wild, gönnte sich keine Minute Pause und machte selbst die widerliche Arbeit der Abortreinigung so gründlich wie kaum ein anderer zuvor.

Als der Abend kam und mit ihm die Essenszuteilung, war er so erschöpft, dass er kaum Hunger verspürte. Er zwang sich aber, denn das wenige zu essen, was den Gettobewohnern zugestanden wurde, war lebenswichtig.

Es gab eine Suppe aus Steckrüben, in der ein paar Kartoffelstückchen schwammen. Auch einige Fleischfasern meinte David zu erkennen. Die Scheibe Brot roch muffig und war an einer Ecke angeschimmelt. David brach den Schimmel heraus und spülte das Brot mit der Suppe hinab. Er löffelte die Suppe aus einer alten Konservendose mit einem Aluminiumlöffel, dessen Stiel abgebrochen war.

Die Jungen um ihn herum waren laut und lebhaft. Sie berichteten von den Tageserlebnissen und wussten stets Neuigkeiten.

»Ihr glaubt nicht«, erzählte Jiri, ein Junge, der bei der Paketausgabe beschäftigt war, »was die Prominenz an Paketen bekommt. Das Wasser läuft einem im Mund zusammen, wenn man nur daran denkt!«

Die Jungen reckten die Hälse, als sie von Paketen hörten. Nervös schluckten sie den Speichel hinab, der sich sofort sammelte.

»Heute war eines der drei Pakete für die Kammersängerin Seelinger* zerrissen und wir mussten alles wieder neu verpacken. Da kamen Dinge zum Vorschein, Dinge, die ihr euch kaum vorstellen könnt!« Jiri machte eine Pause. Er war sich bewusst, dass er in diesen Minuten die Hauptperson war, auf die sich alle Blicke richteten.

»Erzähl, berichte, los, lass dich nicht bitten«, schwirrten Stimmfetzen durch den Raum. Jiri holte tief Luft und erzählte: »Dosen waren darin. Ölsardinen und Krebsschwänze, Krabben und eine Hartwurst, sooo lang!« Er deutete mindestens einen halben Meter an. »Und so dick wie mein Arm!«

Die Jungen staunten mit weit offenen Augen. Sie vergaßen über dem Bericht ihre karge Mahlzeit und ließen die Suppe kalt werden.

»Die Seelinger, das ist eine ganz Alte, die

---

* Person existierte, Name wurde geändert

wohnt in einem Prominentenzimmer in der Bodenbacher Kaserne! Ich habe sie schon einmal gesehen. Sie soll einen hohen preußischen Orden haben und mit dem Bruder von Kaiser Wilhelm befreundet gewesen sein. Zwei uneheliche Söhne soll sie haben, Grafen sollen sie sein und adeliges Blut in sich haben«, teilte einer aus der Gruppe eifrig mit und alle um ihn herum staunten.

»Eine Wurst, so dick wie ein Arm?«, fragte ein Junge nach, dem der Hunger aus den Augen schrie. »Eine ganze Wurst für sie ganz allein!«

»Prominent müsste man sein«, meldete sich da ein anderer und ein Zweiter röhrte: »Und mit dem Kaiserbruder ein Techtelmechtel haben!«

Die Ordnung schien dahin zu sein. Einer der Burschen griff sich von den Pritschen eine Decke und warf sie über. Geziert wie ein Mädchen stolzierte er in der Mitte des Raumes umher und wiegte sich in den Hüften. Vor David blieb er stehen, machte einen Knicks und lispelte: »Herr Graf, wie wäre es mit uns zweien?«

Die Jungen johlten vor Vergnügen. Für kurze Zeit hatten sie das Getto, die Trennung vom Elternhaus, den Hunger, Läuse und Krankheit vergessen. Für kurze Zeit waren sie Jungen, die sich ihres Lebens freuten.

Der Kleine aber, der mit den Hungeraugen, brachte sie wieder zurück auf den Boden der Tatsachen. »Eine Wurst, eine ganze dicke, lange Wurst«, flüsterte er und schrie dann hysterisch: »Verfluchtes Leben!«

Sofort war es still in der Unterkunft. Die Jungen schwiegen betroffen, schauten vor sich hin und löffelten ihre inzwischen kalte Suppe. Schon bald gingen sie auseinander. Die einen legten sich nieder, andere lungerten auf dem Hof herum oder machten einen Spaziergang. Es war, als hätten alle ein schlechtes Gewissen, weil sie einen Moment lang fröhlich gewesen waren.

David stand vor dem schwarzen Brett am Eingang und studierte die dort angebrachten Aushänge. Es war wichtig, diese Informationen zu kennen, denn sie betrafen das Zusammenleben im Getto.

Nun las er schon zum zweiten Mal die Aufforderung der Abteilung Jugendfürsorge an alle Jugendlichen, den Text für ein Lied zu schreiben, das allen Jugendheimen zu Eigen sein sollte.

David überlegte, dann wandte er sich entschlossen um, und als er Herrn Pinkas traf, fragte er ihn nach Bleistift und Papier. Herr Pinkas wollte nicht mit den Kostbarkeiten herausrücken und gab sie erst her, als David sagte: »Ich will versuchen ein Gedicht zu schreiben, aus dem man ein Lied machen kann!«

Er setzte sich im Hof auf einen Stein, abseits von den anderen Jungen, und überlegte. Nachdenklich kaute er am Bleistift und dann schrieb er die ersten Zeilen nieder:

> Wir sind des Gettos Jugend,
> wer sich zu uns gesellt,
> lernt kennen unsere Tugend,

die uns zusammenhält.
Wir gehen Seite an Seite,
einmal wird Freiheit sein . . .

Die laute Stimme des dicken Milar riss David aus seiner musischen Stimmung. Der Dicke stand umringt von den anderen Jungen und berichtete aufgeregt eine Geschichte, die alle ungemein zu fesseln schien. David erhob sich, steckte Papier und Bleistift ein und ging zu den anderen. Auch er wollte hören, was es da an interessanten Neuigkeiten gab.

Karl Milar berichtete und berlinerte vor Aufregung: »Ick dachte, mir trifft der Schlag, als der mir verklickerte, ick müsste in det Rassenbiologische Amt nach Leitmeritz. Dort wollen se mir untasuchen. Weil ick so janich jüdisch aussehe, vastehste? Weil ick blonde Haare habe und blaue Oogen, wollen se mir dort in de Mangel nehmen! Übamorjen bejleitet mir eena von de tschechischen Gendarmen nach Leitmeritz! Oh, Jott, bin ick uffjeregt!«

Erregt schrien die Jungen durcheinander. Ihre Fantasie ging mit ihnen durch. »Vielleicht lassen sie dich frei, Milar?!«

»Und wo soll ick hin? Meine Familie ist doch ooch gettoisiert!«

»Draußen gibt es doch auch Heime. Arische! Solche, in denen es weiß bezogene Betten gibt und satt zu essen, alle Tage!«

»Satt zu essen!« Man konnte an den Gesichtern der Jungen sehen, welche Vorstellungen sich mit diesem Satz verknüpften. Sie standen noch lange im Hof und diskutierten über den dicken Milar und stellten die ungeheuersten Vermutungen an. Dann war es Zeit, auf die Zimmer zu gehen. Punkt zehn Uhr war Schlafenszeit und das Licht wurde gelöscht.

Die Jungen lagen auf den Strohsäcken. Milar war unruhig und drehte sich von einer Seite auf die andere, und weil die Jungen so eng liegen mussten, wurden die anderen durch Milars Unruhe erheblich gestört.

»So gib doch endlich Ruhe, Dicker«, sagte David, als es ihm zu viel wurde, »morgen früh ist die Nacht herum und jeder von uns braucht seinen Schlaf!«

Karl Milar flüsterte: »Ick kann nich schlafen, Chawer, ick bin so nervös, dass ick zittere!«

»Dann halt dich wenigstens still, dass die anderen ihre Ruhe haben!« David nahm den Arm unter den Kopf und schloss die Augen. Bevor er einschlief, dachte er: Was mag der neue Tag wohl bringen?

In der Arbeitszentrale musste David warten. Er stand auf dem Flur und drehte den Zettel, der ihn hierher befahl, nervös mit den Händen. Endlich wurde er aufgerufen. Er betrat das Büro, zog grüßend die Mütze vom Schädel und sah nach, ob die Kennzeichnung, der gelbe Stern, gut sichtbar war. Dann meldete er sich mit lauter Stimme und nannte Transportnummer und Namen.

Das ältliche Fräulein am Arbeitstisch sah nur kurz über den Brillenrand und suchte eifrig nach der Akte, die sie schließlich unter einem Stapel anderer Papiere fand. Sie zog einen Befehl hervor und reichte David das Schreiben. »Hier, nimm«, sagte sie, »und melde dich bei deiner neuen Einsatzleitung!«

Als David fragen wollte, wo diese denn sei, unterbrach sie ihn nach dem ersten Wort ärgerlich: »Steht alles dort! Lies es, dann weißt du Bescheid!« Sie ließ ihn stehen, als sei er Luft, und machte sich über die Akten her.

Eine Weile stand David noch unschlüssig, sah auf den Zettel, und als sich die Frau hinter dem Schreibtisch nicht rührte, setzte er seine Mütze auf und ging.

»Sie haben sich sofort bei der Inneren Verwaltung – Abt. Reinigungsdienst – zu melden, zwecks Arbeitseinsatz.«

Es folgten Datum und eine Unterschrift, die auch diesmal nicht zu entziffern war.

Auf der Straße stand David ein wenig unsicher. Er wusste nicht, wo diese Innere Verwaltung zu finden war, denn er war ja erst kurze Zeit im Getto. Unschlüssig trat er von einem Fuß auf den anderen und dann fasste er Mut und sprach einen Passanten an, fragte ihn nach der Adresse und hatte Glück. Der Mann war ein alter Theresienstädter und kannte sich aus. Obendrein war er noch hilfsbereit und bot sich an, David den Weg dorthin zu zeigen.

»Du bist noch nicht lange hier, wie?« Der

freundliche Helfer fragte es neugierig und David gab gerne Auskunft.

»So, im Getto von Riga bist du gewesen? Von dort hört man nichts Gutes. Da sollen die Letten Tausende von Menschen niedergemetzelt haben! Stimmt das? Hast du davon gehört?«

David nickte. Er erinnerte sich gut. »Im Januar haben die Einsatzkommandos der Letten etwa zweitausend von uns, die gerade in Riga angekommen waren, erschossen und in Massengräbern verscharrt!«

»Gott soll schützen«, erwiderte der Mann und ging ein wenig schneller.

Als die zwei an einer Anschlagsäule vorbeikamen, wo ein Plakatkleber die neuesten Bekanntmachungen ankleisterte, blieb der Alte stehen. »Warte ein Weilchen«, bat er, »ich will schnell lesen, ob und was es an Wichtigem gibt!« Er studierte die Anschläge, die frisch angebracht worden waren, und auch David las:

»Bekanntmachung:

Immer wieder kommt es vor, dass Kleinkinder sich in den Straßen von Theresienstadt verlaufen.

Da diese Kinder meist ihren Namen nicht kennen, wird angeordnet, dass sie in die Unterwäsche eingenäht Namen und Transportnummer mit sich tragen müssen.«

Davids Begleiter studierte immer noch die angeklebten Plakate. Fast schien es, als habe er den Jungen vergessen.

Er las und begann vor sich hin zu kichern.

»Da, schau«, sagte er zu sich, »da haben sie den Brodenski zu 48 Stunden Arrest verurteilt, weil er auf der Straße ausgespuckt hat!«

»Warum?« David musste sehr dumm ausgesehen haben, denn der Alte wiederholte sich: »Weil er ausgespuckt, auf die Straße gerotzt hat, und das darf man nicht im Getto, das wird bestraft, wenn man erwischt wird! Aber ich sehe, junger Mann, du bist wirklich noch ein Frischling in Gettosachen. Und nun komm, wir wollen weitergehen!«

Sie marschierten noch ein paar Minuten gemeinsam, dann wies der Hilfsbereite auf ein Haus, das sich am Stadtplatz befand.

»Da musste hin, junger Mann! Und nun gehab dich wohl!« Er zog den Hut und war schnell in der Masse der Menschen verschwunden, die auf der Straße flanierten.

Die Zeit raste dahin. Noch nie waren für David die Stunden so schnell vergangen wie in diesen Tagen. Sie gaben ihm Reisigbesen und Kehrschaufel und schickten ihn mit zwei anderen auf die Straße, um diese vom Unrat freizuhalten. Zwei Männer fegten den Kehricht zusammen, der dritte schaufelte ihn auf eine Karre, die sie mit sich führten. Sie waren gerade dabei, in der Nähe des ehemaligen Hotels Viktoria zu säubern, als David mit Erstaunen bemerkte, wie überall vor den Häusern Menschen zusammenliefen. Erregt diskutierten die Leute miteinander und redeten wild mit Händen und Füßen.

61

Schnell waren die Gettowachen da, scheuchten die Menschen auseinander, und als dies nichts nützte, schlugen sie hart mit den Schlagstöcken auf sie ein. Widerwillig flüchteten sie vor den Hieben, drängten sich in die Hauseingänge und redeten dort weiter.

David war neugierig geworden. Zu gerne hätte er gewusst, was die Menschen so erregte, dass sie selbst die Hiebe der Wächter nicht fürchteten. Er fragte den, der an seiner Seite kehrte und dessen Namen er nicht einmal wusste. Doch der zuckte nur mit der Schulter.

»Was wird schon sein? Kennst du die Juden nicht? Sie müssen immerzu diskutieren, sonst fühlen sie sich nicht wohl!« Es klang abfällig und David schwieg, denn er wollte sich nicht gleich in den ersten Tagen bei der neuen Arbeit einen Feind machen.

So erfuhr er erst am Abend, was geschehen war. Im Jugendheim tobten die Jungen, wie David es bisher noch nicht erlebt hatte. Er warf seine Hosen auf die Lagerstatt, zog das Hemd aus und wollte sich den Schmutz abwaschen, als er das Wort *Mord* aus dem Geschrei und Getobe heraushörte. Sofort ließ er den Gedanken ans Waschen fallen und gesellte sich zu den anderen. Was er nun hörte, erfüllte ihn mit Stolz, Genugtuung, aber auch mit Angst. Reinhard Heydrich, der erste Mann der SS in Prag, war von einem unbekannten Attentäter schwer verletzt worden. Nun sollte er zwischen Leben und Tod schweben, berichtete stolz einer der Jungen, der als

Putzer in der SS-Kaserne arbeitete und so durch den Rundfunk vom Attentat erfahren hatte.

»Die von der SS sind wütend und wollen Blut sehen«, erzählte er, voll Stolz im Mittelpunkt des Interesses zu stehen. »Die SS hat Geiseln genommen, prominente Prager Bürger, haben sie im Radio gemeldet!«

Der Trubel im Heim steigerte sich zum Chaos. Kaum gelang es Herrn Pinkas und seinen Mitarbeitern, die Wogen zu glätten. Erst als es Zeit wurde für das Abendbrot, ließ die Hektik nach. Es gab drei Pellkartoffeln, von denen eine faul war, und einen Löffel braune Soße, in der undefinierbare Fleischstücke schwammen. Sie nannten es Haschee. Dreihundert Gramm Brot gab es an diesem Abend und zwanzig Gramm Margarine. Die Jungen fühlten sich wie im Schlaraffenland. Endlich war wieder einmal ein Tag, an dem sie ein wenig satt wurden. So stellte sich dann auch eine frohe Stimmung ein, es wurde laut gelacht, so laut, dass der Heimleiter zur Ruhe mahnen musste: »Ihr wisst doch, lautes Lachen ist im Getto verboten! Haltet euch daran, damit wir keinen Ärger mit der Gettowache bekommen!«

Sofort verstummte das Lachen und die Gesichter der Jungen wurden ernst. Lange aber saßen sie noch in kleinen Gruppen zusammen und besprachen das Ereignis des Tages.

So fiel es kaum jemand auf, dass Karl Milar nicht im Heim war. Erst als David sich zum Schlafen niederlegte, bemerkte er das Fehlen des

Dicken. Er sagte es den anderen, die mit auf der Pritsche lagen und noch mitten in der Diskussion waren. »Sei doch froh«, meinte einer und grinste, »dann hast du mehr Platz!« Ein anderer fügte hinzu: »Der Dicke kommt schon, der ist an das Fressen gewöhnt!«

Gegen elf Uhr in der Nacht, die Jungen waren schon im ersten Schlaf, kam der dicke Milar zurück. Der tschechische Gendarm lieferte ihn bei Herrn Pinkas ab.

Milar polterte in die Unterkunft, drehte das Licht an und war laut und jungenhaft unbekümmert. »Ruhe«, donnerte ärgerlich einer der Schläfer, und andere Jungen stimmten schlaftrunken ein.

Milar zog seine Kleidung aus, legte sie ordentlich an das Fußende des Lagers und kroch auf seinen Schlafplatz, darauf bedacht, niemanden zu stören.

»Willste wissen, wie et in Leitmeritz war«, fragte er David flüsternd und der brummte ein leises »Ja«.

»Also, die SS-Ärzte haben mir durch die Mangel jedreht. Blut haben se mir abjezappt, den Kopp hat mir eena eene janze Stunde lang imma wieda vermessen, mit so einem komischen Instrument. Die Ohrenform haben se studiert und dann musste ick für een paar Fotos herhalten, sogar welche, wo ick janz nackt druff bin. Aba jesagt ham se nischt! Nu bin ick jenau so klug oder so dämlich wie vorher!«

»Vielleicht geben sie die Untersuchungsunterlagen nach Berlin. Du weißt doch, dass für die Nazis alles in Berlin entschieden wird!«

»So wird et sein«, brummte der Dicke schlaftrunken, drehte sich auf die Seite und wünschte: »Schlaf jut, David.«

In den folgenden Tagen gab es im Getto nur eine Frage: Wie geht es Heydrich? Niemand aber war da, der Genaues wusste, und so verbreiteten sich schnell wie ein Lauffeuer Legenden und Vermutungen in Theresienstadt.

David tat die ihm befohlene Arbeit wie jeden Tag, ordentlich, wie es seine Art war. Sie zogen mit Besen und Karren durch die Straßen, fegten den Dreck, der jeden Tag neu herumlag, zusammen und sahen bei ihrer Arbeit kaum auf. Gegen Mittag sagte der älteste der Gruppe: »Spielen mir meine Augen einen Streich oder setzen die Nazis die Fahne auf der Kommandantur auf halbmast?«

David sah auf, schaute hinauf zum Turm der SS-Kommandantur und erkannte sofort, dass der andere richtig gesehen hatte. Auch die, die auf den Straßen unterwegs waren, standen wie auf ein unhörbares Kommando still und starrten hinauf zur Nazifahne, die nun trauernd auf halbmast hing.

»Der Nazi ist tot!« Schnell machte die Kunde vom Tode Heydrichs im Getto die Runde. Unter den Juden kam die Angst auf, dass der Mord ihnen zugeschoben werden könnte. »So ist es doch immer gewesen. Immer waren die Juden schuld, wenn etwas Arges in der Geschichte geschah! Auch diesen Mord wird man uns wieder in die Schuhe schieben wollen!«

Als David am Morgen des 10. Juni auf die Arbeitseinteilung wartete, erschien der Kommandant des Gettos, Hauptsturmführer Seidl, in Begleitung einiger seiner Offiziere auf dem Platz. Er gab dem jüdischen Einsatzleiter den Befehl, dreißig Männer mit Schaufeln, Spitzhacken und anderem Arbeitsgerät auszurüsten und in Bereitschaft zu halten. Seidl blickte herrisch wie ein Feldherr auf die im Karree angetretenen Arbeiter, schlug sich mit der Reitgerte gegen die blank gewichsten Schaftstiefel und betonte: »Aber nur die jüngsten und kräftigsten sind auszuwählen!«

Der jüdische Einsatzleiter kam dem Befehl der SS nach. Er wählte die kräftigsten unter den jüngsten Arbeitern aus. David war unter den dreißig Männern.

Nachmittags gegen drei Uhr fuhr ein Lastwagen der SS vor. Am Steuer saß ein Fahrer, der wie Seidl und vier Soldaten zur SS gehörte. Auch zwei der tschechischen Gendarmen waren dabei. Die dreißig Männer kletterten mit ihren Arbeitsgeräten auf die Ladefläche des Lasters. Hauptsturmführer Seidl gab den Befehl zur Abfahrt und im Schritttempo fuhr der Wagen durch die engen Gassen des Gettos. Niemand ahnte, wohin die Fahrt gehen sollte. Die Menschen auf den Gassen schauten dem Wagen nach, sahen den Gettokommandanten

66

neben dem Fahrer sitzen und zogen ehrerbietig ihre Mützen von den kahl geschorenen Köpfen.

Nach kurzer Fahrzeit war der Wagen vor einer kleinen Ortschaft angekommen, deren Ortsschild sie mit dem Namen *Lidice* kenntlich machte. Das Dorf stand in lodernden Flammen. Eine Hundertschaft SS-Soldaten hielt das brennende Dorf mit angeschlagenen Maschinenpistolen umzingelt und schoss auf alles, was dem Inferno zu entkommen suchte. Vor der Postenkette hielt der Wagen. Seidl befahl den tschechischen Gendarmen abzusteigen. Sie blieben außerhalb der Postenkette und lagerten am Wegrand.

Seidl gab Befehl weiterzufahren. Der Wagen ließ den waffenstarrenden Kordon hinter sich. Mitten im Dorf hielt der Fahrer an. David sah, wie das Feuer, einer riesigen Fackel gleich, aus dem Kirchturm schlug, und er hörte die schrillen Schreie der brennenden Menschen aus der Kirche dringen.

Hauptsturmführer Seidl übernahm das Kommando. Er und die SS-Soldaten führten die jüdischen Arbeiter an den Dorfrand. Seidl schritt ein Areal der Länge und Breite nach ab und befahl einem der Juden, an den Enden Pflöcke einzuschlagen.

»Und hier, Leute, hebt ihr mir eine Grube nach den angegebenen Maßen aus. Und dass mir die Arbeit flott vonstatten geht, bitte ich mir aus!«

Die befohlene Arbeit begann. Die dreißig arbeiteten schnell ohne aufzusehen. Der Schweiß lief ihnen in Bächen herab, denn die Hitze des Feuers erreichte auch noch den Dorfrand. Seidl war in diesen Stunden überall. Auch er schien keine Schonung in Anspruch zu nehmen. Wagte einer der Arbeiter auch nur für Sekunden die Arbeit zu unterbrechen, so musste er damit rechnen, dass der Offizier hinter ihm war und mit der Reitgerte zuschlug. Als die Nacht hereinbrach, leuchteten den Erdarbeitern die Flammen, die immer noch hell loderten. Zwei Stunden Pause durften die Arbeiter einlegen, dann stand Hauptsturmführer Seidl wieder antreibend hinter ihnen.

Nach etwa anderthalb Tagen war das vier Meter tiefe Massengrab mit den Ausmaßen 12 mal 9 Meter fertig. Nun trieben die Soldaten die Juden an, die Leichen zusammenzutragen und in die Grube zu legen.

Als das dem Hauptsturmführer zu lange dauerte, wurden die Leichen hineingeworfen. Als alle Toten, die von der SS auf den Straßen erschossen worden waren, in der Erde lagen, wurde ungelöschter Kalk auf die Leiber geschüttet. Dann kam der Befehl Seidls: »Zuschaufeln!«

Die Juden arbeiteten, als ginge es um ihr Leben. Das Grauen saß ihnen im Nacken. Sie hörten das betrunkene Grölen der SS-Männer, die ihre Sonderration Schnaps in sich hineingegossen hatten. Sie waren von auswärts gekommen und zählten nicht zur Theresienstädter Wachmannschaft. Die Juden rochen das verbrannte

Menschenfleisch von der Kirche her, die nun in sich zusammenstürzte, und mühten sich, so schnell wie möglich mit der Arbeit fertig zu werden.

Als das Massengrab zugeschaufelt war, gab Seidl den Befehl auf den Lastwagen zu steigen. Die Männer waren verdreckt und verschmiert bis auf die Haut. Unförmig hing der Lehm an ihren Schuhen.

Seidl warf zwei Schachteln Zigaretten unter die Juden. Viele von ihnen zündeten sich gierig eine an und inhalierten den Rauch genießerisch. Als die Zigarettenschachtel an David vorbeigereicht wurde, schüttelte er den Kopf. Er wollte keine, ließ sie den anderen.

Der Befehl zur Abfahrt kam. Langsam fuhr der Wagen durch das Dorf, das nun nur noch ein großer, rauchender Trümmerhaufen war. Hinter dem SS-Kordon befahl der Hauptsturmführer den wartenden Gendarmen, die nun herrenlosen Schafe und Ziegen, Kühe und anderen Tiere in das Getto zu treiben.

Der Lastwagen fuhr weiter. Die zurückbleibenden SS-Männer schossen trunken einige MP-Salven in die Luft.

David saß die Angst im Nacken. Sie lähmte ihn.

Am 16. Juni 1942 mussten alle Juden des Gettos antreten. Die Aktion begann morgens um sechs Uhr und dauerte bis spät in den Abend. Überall im Protektorat – so wurde ein Teil der Tschechoslowakei genannt – hängten die Deutschen Fahndungsplakate auf mit den Gegenständen, die der Attentäter bei der Flucht zurückgelassen hatte. Nun sollten die Juden befragt werden, ob sie diese Gegenstände kennen würden. Sie mussten in langen Reihen an einer Gruppe von Gendarmen vorbeimarschieren. Auf den Höfen der Unterkünfte standen Tische, neben denen sich Tafeln befanden. Auf ihnen waren die Abbildungen der Aktentasche, des Mantels und anderer Gegenstände des unbekannten Attentäters zu sehen. Die Menschen kamen nur langsam vorwärts, mussten für einen Moment vor den Abbildungen stehen bleiben und wurden befragt, ob sie diese Dinge erkannten.

Je nach Temperament verneinten die Befragten und mussten sich dann mit ihrem Namen und der Transportnummer in einer Liste eintragen und mit ihrer Unterschrift die Aussage bestätigen.

Die Gettokommandantur konnte so nach Berlin berichten, dass die Befragung der Juden im Getto keine Spur des Attentäters ergeben habe.

So ging das, was man Leben nannte, weiter. Die Menschen taten, was von ihnen verlangt wurde. Sie gingen ihrer Arbeit nach, verrichteten sie, so gut sie konnten, kamen abends zurück in die Unterkünfte, hungrig, müde und ohne Hoffnung, und legten sich auf das harte Lager um im Morgengrauen des nächsten Tages, so hungrig wie sie sich am Abend zuvor niederlegten, aufzustehen und wieder das befohlene Tagwerk anzupacken.

So ging es auch David Rosen. Er hatte sich an die neue Arbeit gewöhnt, und obwohl ihm die Arbeit auf der Krankenstation fehlte, die fröhlichen Gesichter der kleinen Patienten, wenn er den Kasperle singen und lustige Späße treiben ließ oder wenn er an die Verwirrten dachte, die so sehr auf seine Hilfe angewiesen waren, das Leben ging weiter, es ließ sich nicht zurückdrehen.

Einige Tage nach dem Einsatz in Lidice schmerzten David immer noch die offenen Blasen in den Handflächen. Von anderen hörte er, bei denen Infektionen hinzugekommen waren und die nun ihre Arbeit nicht tun konnten.

So gut es ihm möglich war, hielt David die Wunden sauber. Er wusste, dass Krankheit im Getto immer die Gefahr bedeutete ausgesondert zu werden, auf Transport zu gehen.

Schon war das kleine Stück Tonseife zu einem winzigen Rest verwaschen und es bestand keine Aussicht, ein neues zu bekommen. Sauberkeit aber war wichtig. David überlegte und kam auf die Idee sich feinen Sand mitzunehmen, den er in einem Schuppen gesehen hatte, in dem die Karren, Besen und Schaufeln verwahrt wurden.

Die Idee war gut, so stellte sich bald heraus. Der feine Sand, mit Wasser vermischt, eignete sich gut zur Körperreinigung.

Der Monat Juni wurde sehr warm. Es gab Tage, an denen es unerträglich heiß wurde. David wusste sich zu helfen, legte Jacke und Hemd auf den Karren, zog die Sicherheitsnadel, mit der der gelbe Stern an der Jacke angesteckt war, heraus und befestigte die Kennzeichnung an der Hose. So, dachte er, ist die Hitze zu ertragen, ich bekomme ein wenig Farbe und trotzdem habe ich nicht gegen die Kennzeichnungspflicht verstoßen.

David irrte sich. Es war noch keine Stunde vergangen, die Sonne hatte es nicht geschafft, eine erste Rötung auf seine Haut zu bringen, als einer von der Gettowache vor ihm stand, ihn an der Arbeit hinderte und ihn mit dem Schlagstock brutal gegen die Brust stieß. »Wer hat dir erlaubt die Kleidung abzulegen? Was glaubst du eigentlich, wo du bist? In der Sommerfrische? Anziehen, und zwar sofort. Ich werde Meldung machen. Nenne mir deine Transportnummer.« Er fuchtelte wild mit dem Knüppel vor Davids Nase herum. Der stammelte seine Nummer, die der Gettowächter sofort notierte. Schnell zog sich David korrekt an und befestigte den gelben Stern wieder an der Jacke. Ihm war speiübel. Hinzu kam, dass einer aus der Kolonne seine hämischen Bemerkungen machte. Ihm war so elend, er fühlte sich so verlassen, dass ihm zum Heulen war. Er riss sich aber zusammen, er wollte nicht, dass die anderen sich an seinem Kummer weideten.

Endlich war der Abend da und mit ihm der Feierabend. Ohne auch nur ein privates Wort mit den anderen zu sprechen, wie es sonst üblich

72

war, stellte er sein Arbeitsgerät in den Schuppen und meldete sich beim Einsatzleiter ab.

Herr Pinkas schien schon auf David gewartet zu haben. Er winkte ihn heran: »Es ist Klage gegen dich geführt worden, Rosen! Du hast dich entgegen der Kleiderordnung verhalten und mit nacktem Oberkörper deine Arbeit getan. Ich habe den Auftrag dich zu verwarnen. Die Verwarnung wird in deinen Transportpapieren festgehalten! Das war es und nun kannst du gehen und dir den Dreck abwaschen!«

Das war leichter gesagt als getan, denn wieder einmal rann das Wasser nur tropfenweise aus der Leitung. Ärgerlich gab David den Versuch der Körperreinigung auf.

Nach dem Essen, das nur aus einer Wassersuppe und einem Stück Kommissbrot bestand, legte sich der Junge nieder. Die Ereignisse des Tages hatten ihn müde gemacht.

In der Nacht wurde David durch ein unerträgliches Kopfjucken wach. Noch halb im Schlaf begann er zu kratzen. Aber das half nicht, im Gegenteil, es wurde noch schlimmer. David setzte sich und weckte dadurch den dicken Milar.

»Du hast Läuse«, stellte Milar trocken fest und sagte lakonisch: »Na, dann werde ick se ooch schon haben, so nahe, wie wir nebeneinander liegen!«

»Und was kann man dagegen machen? Ich habe bisher noch nie damit zu tun gehabt!«

»Besorg dir 'n Lausekamm und lass dir ne Platte schneiden, dann haste se los!«

David schien ratlos: »Und wo bekomme ich einen Lausekamm her?«

»Frag doch nich so dämlich! Für Brot bekommst du allet, du musst nur mal eenen Tag noch mehr Kohldampf schieben als sonst! Ooch Petroleum hilft, wenn man den Kopp so richtig damit einsaut. Da krepieren de Biester!«

»Besorg mir so einen Kamm«, bat David und hörte nicht eine Sekunde mit dem Kratzen auf. »Ich gebe dir meine Tagesration Brot!«

»Jebongt«, bestätigte Milar den Auftrag. »Wenn du heute Abend kommst, kannste dir de Tierchen rauskämmen! Und nu versuch zu pennen, bevor alle wach werden!«

Es wurde eine Nacht, in der David nur etappenweise zur Ruhe kam. Kaum war die Nacht herum und der Befehl zum Aufstehen gegeben, da wusste jeder in der Unterkunft von Davids Problem.

»Sieh zu, dass du die Läuse so schnell wie möglich loswirst, und halt dich zurück mit der Kratzerei, damit du nicht auffällst. Die Deutschen haben große Angst vor den Krankheiten, die durch die lieben kleinen Tierchen eingeschleppt werden!«

David sah das ein, er freute sich, in die bestehende Kameradschaft eingebunden zu sein, und bemühte sich, trotz des unbändigen Kopfjuckens nicht zu kratzen. Mit einem traurigen Blick und unter wütendem Magenknurren schob er Karl

Milar die Brotration zu. »Heute Abend kriegst du den Rest. Aber vergiss nicht mir den Kamm zu besorgen!«

»Wo werd ick denn«, beruhigte Milar den anderen. David verließ als Erster das Heim, er wollte auf dem Hof, ungesehen von spöttischen Augen, noch einmal so richtig nach Herzenslust kratzen, bevor seine Arbeit begann.

Je heißer der Tag wurde, umso wilder bissen David die Läuse. Kaum konnte er es noch ertragen. Plakate, die er früher nie wahrgenommen hatte, sah er an jenem Tag an jeder Anschlagsäule.

»*Läuse sind dein Tod*«, war auf diesen Plakaten zu lesen.

Kurz vor Feierabend traf David auf Doktor Weinberger. Ohne auf die Gefahr zu achten, die das Ansprechen eines Passanten während der Arbeit bedeutete, trat er auf den Gehsteig und sprach mit dem Arzt. »Dich hat ein gutes Geschick hierher gebracht, Doktor. Kannst du mir helfen? Ich habe Kopfläuse. Sie machen mich verrückt!«

»Komm nach Feierabend auf die Kinderstation. Ich denke, ich kann dir da helfen!«

David drückte dem Arzt so kräftig die Hand, dass der den Mund verzog. »Wenn ich irgendwie die Gelegenheit habe, komme ich vorbei!« Er trat zurück in die Gosse und tat seine Arbeit.

Milar hielt seine Zusage.

Kaum betrat David die Unterkunft, als der Dicke ihm den Lausekamm unter die Nase hielt.

»Hier haste det kostbare Stück. Nu vergiss aba nich zu berappen. Ick habe meinem Lieferanten versprochen heute noch zu blechen!«

»Sobald wir es bekommen, kriegst du das Brot, Karl!«

»Jut so! Und nu kämm dir den Kopp und mach dir lausefrei. Ick habe meine schon ins Jenseits befördert. Soll ick dir sagen, wie ick se abjemurkst habe? Een Löffel habe ick üba ner Kerze heiß werden lassen und denn habe ick de Biester darin jeröstet!« Er lachte so sehr, dass Tränen in seine wasserblauen Augen traten.

Bis zur Essensausgabe war noch ein wenig Zeit. David machte sich daran, den Kopf läusefrei zu bekommen. Unter den guten Ratschlägen der umstehenden Jungen kämmte er sein borstenkurzes Haar, zerdrückte die Läuse, die er fand, und freute sich, dass das Jucken schon nachließ, als die Suppe ausgeteilt wurde. Dankbar schob er das Brot zu Milar hinüber, der es sofort unter dem Hemd verschwinden ließ, denn es war strengstens verboten, Nahrungsmittel zu tauschen oder fortzugeben.

Nach dem Essen, als die kurze Freizeit begann, meldete David sich beim Leiter ab. Der gab ihm die Genehmigung das Heim zu verlassen.

Doktor Weinberger wartete schon auf David. Er sah, dass der Junge ruhiger war als bei dem Treffen auf der Straße.

»Ich glaube, ich habe die Läuse schon weg. Habe mir für meine Brotration einen Lause-

76

kamm besorgt und mir schon die Haare durch-
gekämmt!«

»Freu dich nicht zu früh. Läuse sind nicht so
schnell vernichtet. Du musst die Brut vernichten, erst dann hast du Ruhe!« Er stand auf und
holte aus einem Schrank eine kleine Flasche, in
der sich eine Flüssigkeit befand. »Nimm sie, Rosen. In der Flasche ist Petroleum. Reibe dir die
Haare gründlich ein und binde den Kopf mit
einem Lappen ein. Bald hast du dann wieder
deine Ruhe!«

»Hoffentlich«, stieß David so komisch hervor, dass Doktor Weinberger die Lippen ein wenig zu einem blassen Lächeln verzog.

Mit der Hitze des Sommers begannen die Todes-
fälle zuzunehmen. Die geschwächten Menschen
fielen auf den Straßen, bei ihrer Arbeit, einfach
um oder sie wachten nicht mehr auf, wenn früh
am Morgen aufzustehen verlangt wurde.

Die meisten der Juden waren schon älter. Sie
starben an Infektionskrankheiten, besonders an
Typhus.

Die Leichenkarren gehörten von nun an zum
alltäglichen Stadtbild. Es waren zweirädrige
Karren, die von einem Mann gezogen wurden.
Ein zweiter Mann schob. Beide luden die Särge
auf die Ladefläche und brachten die Leichen in
die Leichenkammern, die in vielen der Kasernen
eingerichtet waren. Schnell aber wurden die
Särge abgeschafft, denn es gab zu wenig Holz. So
packte man die Verstorbenen in Papiersäcke. Je-

den Morgen wurden die Beerdigungsfeiern in der zentralen Leichenkammer zelebriert. Zunächst wurden die Leichen derjenigen eingesegnet, die einmal katholisch oder evangelisch gewesen waren und nur gemeinsam hatten jüdischer Herkunft gewesen zu sein.

Anschließend an diese Zeremonien wurden die jüdischen Bestattungsfeiern von verschiedenen Rabbinern in einem anderen Raum abgehalten. Die Leichenreden waren ohne jedes Pathos und sehr kurz gehalten. Sofort nach den Zeremonien wurden die Toten in das Krematorium geschafft.

In der ersten Zeit des Gettos ließ man den Toten die Kleidung. Man begrub sie mit dieser. Dann kam der Befehl der Kommandantur, die Toten zu entkleiden. Die Kleider wurden in eine Verteilungsstelle gebracht und weitergereicht an die Lebenden. War jemand an einer ansteckenden Krankheit gestorben, mussten die Kleider desinfiziert werden, bevor sie in die Kleiderstelle gebracht wurden. Es war mit deutscher Gründlichkeit alles ganz genau organisiert und geregelt.

Als das Massensterben im September einsetzte, bekamen die Leichenträger bestimmte Bezirke und die Krematoriumsmannschaft neue Kräfte zugewiesen.

Für die Toten, deren Angehörige es sich leisten konnten, fuhr aber auch noch ein altmodischer Leichenwagen, gezogen von zwei Rappen, durch die Straßen.

Nun kamen die Öfen im Krematorium mit der Einäscherung nicht mehr nach. Die Leichen wurden übereinander gestapelt. So lagen sie, bis die Öfen sie verbrannten. Als die Leichenberge zu gewaltig wurden, erging der Befehl die Toten in Massengräbern beizusetzen. Obwohl die Männer an den vier Öfen des Krematoriums Tag und Nacht arbeiteten – die Öfen schafften es nicht.

Viele der Männer, die als Totengräber eingesetzt wurden, weigerten sich diese Arbeit zu tun. Das änderte sich erst, als einer von ihnen zu den Leichen in die Grube geworfen und mit diesen begraben wurde.

Peinlich genau wurde die Asche der Verbrannten in Papierbeuteln aufbewahrt, an denen der Zettel befestigt war, der am großen Zeh der Verstorbenen gehangen hatte und auf dem Name und Transportnummer geschrieben standen. Diese Papierurnen wurden später in der Kasematte aufbewahrt, die sich gegenüber der zentralen Leichenkammer befand.

Die SS aber beschäftigte ein anderes Problem weitaus mehr als das Massensterben. Es war die Frage nach dem Verbleib des Goldes der Toten. Schon bald wurde von der Kommandantur ein Befehl an alle erlassen, die mit den Leichen in Berührung kamen. Er lautete, dass jede Art von Edelmetallen zu sammeln und auf der Kommandantur abzuliefern sei. Wenig später erging der Befehl, die Asche auf Gold zu durchwühlen und jeden Fund abzuliefern.

Für die aus anderen Gettos nach Theresienstadt gekommenen Neulinge schien es hier ein rechtes Paradies zu sein.

Viele schwärmten von dem guten Essen und waren auch mit der Unterbringung zufrieden. Es wurde dadurch deutlich, in welch unmenschlichen Lagern sie vorher vegetieren mussten. Bald aber zeigte sich, dass es hier kaum anders, kaum besser war. Die Menschen waren hier genauso geschwächt wie in den Gettos in Polen oder Lettland, sie starben auch hier an Unterernährung und deren Folgen.

Im Sommer kamen Massentransporte in kürzesten Folgen in das Getto. Bereits im Juli waren die Kasernen bis unter die Dächer belegt und auch in den Häusern drängten sich die Menschen. Besonders die alten Leute, Behinderte und Kriegsinvaliden hatten es schwer. Sie waren kaum in der Lage in die engen Mehrstockbetten zu klettern, in denen man so eng nebeneinander lag wie in einem Sarg.

Die Kommandantur ließ ausrechnen, wie viel Platz für jeden Theresienstädter zur Verfügung stand. Es waren weniger als zwei Quadratmeter für jeden Gettoisierten, auf denen er nicht nur schlafen musste, sondern auch zu leben hatte. Auf Befehl der SS wurden Gruppen gebildet, die neue Wohnmöglichkeiten ausfindig machen mussten. Die Kontrolleure waren ununterbrochen auf den Beinen. Sie meldeten baufällige Häuser und Räume, die bisher als nicht bewohnbar galten. Hier gab es keine Öfen, keine Wasserleitungen, keine Aborte. In den Mansarden war es während der Sommermonate so heiß, dass es unter den Bewohnern immer wieder zu Hitzschlag und Kreislaufkollaps kam. Den alten und kranken Menschen, die nicht mehr in der Lage waren die steilen Treppen zu steigen, wurden die Dachbodenquartiere zu Dauergefängnissen.

Viele der Neuankommenden lagen auf den notdürftig gereinigten Dielen. Sie brachten nur das Handgepäck mit, was sie selber tragen konnten. Die Koffer wurden einbehalten, durchwühlt und oftmals nie ausgehändigt. Da die Transporte aus Deutschland und dem Protektorat in Massen eintrafen, waren die Handwerker nicht in der Lage, die aus rohen Brettern bestehenden Betten aufzustellen. Bei diesen Handwerkern handelte es sich um Juden, die vorher kaum eine handwerkliche Tätigkeit verrichtet hatten. Vierzehn Tage und mehr waren diese Altentransporte unterwegs. Oft kamen sie verlaust an, und da Entlausungen in den ersten Sommerwochen kaum möglich und die hygienischen Verhältnisse chaotisch waren, nahm die Verlausung Ausmaße an, die kaum in den Griff zu bekommen waren. Auch begannen Krankheiten unter den Alten zu wüten und es starben in den Sommermonaten bis zu einhundertfünfzig alte Menschen täglich.

Die Gettoküchen waren nicht mehr in der Lage die Massen zu verpflegen. Das Mittagessen musste in mehreren Arbeitsgängen gekocht und ausgeteilt werden. Es fehlte an Kesseln, Kannen und anderen Transportmitteln und so konnte nur noch ein kleiner Teil der Gettoinsassen durch die Transportkolonnen beliefert werden. Immer öfter war das Essen kalt, wenn es in den Kasernen eintraf. Es erging der Befehl, dass die Leute aus den kleinen Wohneinheiten sich ihre Verpflegung selbst abzuholen hätten. Und wieder traf dies die Alten und Kranken besonders hart. Oft standen die krummen, vom Alter gebeugten und kranken Menschen stundenlang vor den Essensausgabestellen. Viele nannten nicht einmal ein Essgeschirr ihr Eigen und mussten mit den Fingern essen.

Die Überalterung im Getto stellte die Verantwortlichen der jüdischen Selbstverwaltung vor kaum lösbare Aufgaben. Viertausend Frauen und Männer, die Hausdienste genannt wurden, arbeiteten in den Unterkünften, in denen mehr als dreißigtausend invalide und alte Menschen vegetierten. Sie sorgten für die Reinigung, halfen den Kranken bei vielen Verrichtungen, stellten die Tor- und Wasserwachen. Diese waren eingesetzt worden, weil es nur eine unzureichende Wasserversorgung im Getto gab.

Im Juli wurde mit den Ausschachtungsarbeiten für vier Tiefbrunnen begonnen. Bis zum Ende des Jahres waren mehrere Häuser an die neuen Brunnen angeschlossen worden und das linderte die Wassernot ein wenig.

David war an diesem warmen Sommerabend durch die Straßen und Gassen geschlendert. Es hatte ihn nicht auf dem Hof des Jugendheimes gehalten, er hatte fortgemusst, es trieb ihn auf die Straße unter die Menschen, die wie er ihren Unterkünften entflohen waren.

Auf dem verwilderten Gelände, das man Stadtpark nannte, schlenderten die Menschen langsam umher. Alte waren es, aber auch ganz junge Paare gingen da Hand in Hand. Da gingen Menschen, die ihre besten Kleider anhatten. Damen in schönen Sommerkleidern, den breitrandigen Panamahut keck auf dem Kopf und die Schultern mit einem Blaufuchs-Ensemble geschmückt. Herren im Cut und farbiger Weste, das blitzende Einglas im Auge, schlenderten an ihren Seiten. Vornehm grüßten sie herablassend nach allen Seiten. Es war, als würden sie nicht wahrhaben wollen, wo sie sich befanden – dass schon am nächsten Tag der Transport auf sie warten mochte, der in ein Vernichtungslager führte, oder dass eine Infektionskrankheit den schnellen Tod bringen konnte.

Andere, schon abgezehrt und hohlwangig, standen hungerkrumm an den Ecken, streckten die Hände aus nach einem Brocken Brot und waren schon dankbar, wenn ein freundlicher Blick sie streifte.

Schrille Pfiffe schreckten die Menschen auf. David stand erschrocken still. Auch die anderen im Park waren wie erstarrt.

Schnell erkannten sie, dass der Park von den Männern der Gettowache abgeriegelt worden war. Auch einige der tschechischen Gendarmen

waren gekommen und unterstützten die Gettowachen. Die Ausweiskontrolle war schnell vorüber.

Auch vor David waren zwei der Gettowächter stehen geblieben. Einer sagte barsch: »Deinen Ausweis!« und ließ den Schlagstock kreisen.

David reichte ihn dem anderen hin. Der sah
ihn genau an und fragte, den Blick nicht vom
Ausweis lassend: »Schnell, sag mir deine Transportnummer!«

David hastete sie heraus. Er wusste, dass dies
wichtig war, dass ein Zögern zu einer Festnahme
und Personenkontrolle führen konnte. Und er
wusste auch, dass es wichtig war, nicht aufzufallen.

»Wo ist dein Arbeitsausweis?« Drohend
kreiste der Schlagstock in der Hand des Wäch-
ters. David reichte ihm den Ausweis wortlos hin.
Nur einen kurzen Blick warf der Wächter darauf, dann gingen die beiden weiter zum Nächsten und begannen dort dieselbe Prozedur aufs
Neue.

Kaum fünf Minuten dauerte die Kontrolle.
Die Wächter zogen ab ohne einen Illegalen oder
Drückeberger gefasst zu haben.

Mit einem Mal war David die Lust an dem
Abendspaziergang verleidet. Er machte sich auf
den Weg in seine Ubikation. Als er am ehemaligen Kino Orel vorüberging, sah er einen An-
schlag an der Mauer, der ihn interessierte. Er
blieb stehen und las:

»Interessierte verhinderte Dichter können jeden Sabbat in das tschechische Jugendheim neben der ehemaligen Schule kommen.

Wir treffen uns dort von sieben bis acht Uhr abends.«

Im Weitergehen sagte er zu sich: »Reinschauen kann man schon. Irgendein Steckenpferd braucht man, wenn man nicht eingehen will wie ne Primel!« Und er nahm sich fest vor, die verhinderten Dichter zu besuchen.

Es war vielleicht drei Tage später.

David kam verschwitzt und verschmutzt von der Arbeit in das Heim. Gerade war er dabei, das Hemd abzulegen, als der dicke Milar ihm freudestrahlend entgegenkam. »Rate mal, Rosen, was geschehen ist?«

»Hitler ist tot und wir alle fahren nach Hause«, erwiderte David müde und bitter.

»Du bist een Witzbold, Rosen! Stell dir vor, ick werde morjen von een Beauftragten nach Berlin in een arischet Lehrlingsheim jebracht. Sie haben mir für arisch erklärt. Ick sei keen Jude, ick hätte keene rassischen Merkmale, die mir als eenen solchen bestätijen. Det Jutachten, se sagen woll rassenbiolojisch dazu, liegt vorne bei Pinkas im Büro!«

»Das freut mich für dich, Dicker, aber du gestattest doch, dass ich vor Begeisterung nicht aus den Latschen kippe. Du gehst fort aus dieser Hölle, ich aber, und mit mir zigtausend andere, müssen hier bleiben und aushalten oder verrecken!«

In die wasserblauen Augen des dicken Milar

stiegen Tränen. Er würgte sie hinab und sagte: »Aba da kann ick doch nischt dran ändern. Soll ick mir vielleicht nich freuen, Rosen?«

Da schluckte David den aufsteigenden Neid, der bitter wie Galle in ihm hochkam, hinab und legte dem anderen den Arm um die Schultern. »Nein, Dicker, freu dich. Jubele, kreische deine Freude hinaus, danke Gott oder wem auch immer, dass du diesem Tod auf Raten entkommst, aber vergiss nie, auch wenn du nun arisch bist, was man den Menschen hier antut, mit denen du gehungert und gelitten hast!«

David machte sich auf den Weg zur Wasserstelle um sich den Dreck abzuwaschen. Milar kam ihm nachgerannt. Er reichte ihm ein Stück fast unbenutzte Tonseife hin. »Hier, nimm«, sagte er, »ick werd ja wohl andere bekommen, da, wo sie mir hinschicken!« Linkisch drückte er David die Seife in die Hand und ging schnell fort.

Milars Arisierung sprach sich schnell herum. Schon kamen die Ersten, um sich den Glücklichen anzusehen, dem es gelungen war, dem Getto zu entkommen. Sie standen stumm und staunten den Dicken an, der vor Verwirrung nicht wusste, wohin er schauen sollte.

Andere kamen, sprachen unaufhörlich auf ihn ein, drückten ihm Adressen in die Hände und bettelten, er möge doch Freunde und Bekannte aufsuchen, ihnen Grüße ausrichten und diese bitten Lebensmittelpakete in das Getto zu schicken.

Milar war so durcheinander, dass er zu allem Ja sagte. Selbst das Abendessen ließ er unangetastet und schließlich schob er es dem blassen Jungen hin, der mit seinen großen Hungeraugen auf die Ration starrte und dem das Wasser im Mund zusammenlief.

»Da, nimm! Ick krieje doch nischt runter, bin zu uffjeregt«, sagte Milar und der Blasse griff so gierig zu, dass er einen Teil der Suppe verschüttete.

Es wurde ein Abend, den wohl jeder der Jungen in Erinnerung behalten würde. Sie schienen vergessen zu haben, wo sie waren, sangen Volkslieder, die sie noch aus der Schulzeit kannten, erzählten sich Witze, die längst ein jeder kannte, und lachten doch so über diese, als würden sie zum ersten Mal erzählt.

Auch als sie auf den Massenpritschen lagen, das Licht schon gelöscht war und eigentlich Ruhe sein sollte, wurde es nicht still. Immer wieder flatterten neue Gespräche auf, wollte der eine oder andere dem »dicken Arier« noch etwas sagen, gute Ejzes mit auf den Weg geben. Endlich aber gewann die Müdigkeit die Oberhand. Die Jungen schliefen ein. Karl Milar wälzte sich schlaflos herum und ließ durch seine Unruhe nicht zu, dass David einschlief. »Lieg doch wenigstens ruhig, Dicker, wenn du schon nicht schlafen kannst. Für mich ist morgen früh die Nacht herum und ich muss wieder ran!«

»Ick bin zu uffjeregt«, entschuldigte sich Milar und fügte hinzu: »Weeßte, wenn die mir zum

Militär stecken, denn nehme ick die erste Möglichkeit wahr und loofe üba. Einfach de Hände üban Kopp und rüba uff de andere Seite! Ick werde denen dann verklickern, wat hier im Getto los is! Da kannste Jift druff nehmen!«

David dachte noch im Halbschlaf: Hoffentlich gelingt es dir, dann war er eingeschlafen.

Im Herbst kamen Transporte aus Deutschland und Österreich. Viele Berliner und Wiener Juden waren darunter. Der Zustrom der Altentransporte ließ nach und durch die hohe Sterblichkeit der alten deutschen Juden kam es zu einem Ausgleich in der Altersstruktur des Gettos.

Die jungen Juden aus Berlin und Wien drängten in die verschiedensten Verwaltungen, in denen bisher überwiegend Tschechen beschäftigt waren. Unter diesen neuen Frauen und Männern gab es Menschen, die in erster Linie an andere dachten und es als ihre Hauptaufgabe ansahen, ihren Leuten so gut wie möglich zu helfen. Es gab aber auch eine Anzahl übelster Kreaturen unter ihnen, die nichts anderes wollten als sich ein angenehmes Leben zu verschaffen und eine Tätigkeit zu finden, die sie vor dem Transport in ein Vernichtungslager verschonte.

Unter denen, die nun in die sicheren Verwaltungsstellen drängten, waren auch Mitglieder der Jupo aus Wien, die einen sehr schlechten Ruf hatte. Diese Judenpolizei arbeitete mit der SS eng zusammen und beteiligte sich in unmensch-

licher Art an den Verhaftungen ihrer Glaubens-
brüder und prügelte auf die wehrlosen Menschen in den Sammellagern ein.

Einige waren auch als Spitzel für die Dienststellen der SS tätig. Sie hinterbrachten alles von
Wichtigkeit und schadeten vielen jüdischen
Menschen, die dann oft auf Transport in die Vernichtungslager geschickt wurden.

David fegte mit seiner Kolonne an jenem Tag
die Straßen rund um die Kavalier-Kaserne. Am
Abend vorher hatte es geregnet und so waren die
Straßen weniger staubig als sonst in den Wochen
vorher, in denen kaum Regen gefallen war.

David und seine Kameraden wurden aufmerksam auf ein lautes Geschrei, das sich vor der
Kaserne erhob. Eine Menge Juden jeden Alters
standen vor dem Tor und kümmerten sich nicht
um das lautstarke Verbot der Gettowache, die
wütend zum Weitergehen aufforderte.

Die erregten Menschen blieben stehen,
schimpften laut und reckten drohend die Arme.

David arbeitete sich mit seiner Kolonne näher
heran. Nun hörte er, was die Menschen redeten.
Es war nicht leicht, aus dem Stimmengewirr etwas Verständliches herauszuhören. Dann verstand er die ersten Brocken und langsam konnte
er sich zusammenreimen, worum es ging: Einer
der Wiener Juden erkannte einen Spitzel, der für
die SS gearbeitet hatte, und eilte, seinen Freun-
den von der Ankunft dieses Mannes zu berichten.

»Endlich hat die SS den Strizzi, den Elenden,

kassiert. Der hat wohl gedacht, er könne sich durch seine Zuträgerei für alle Zeiten ein gutes Leben in Freiheit sichern!«

»Nichts dauert ewig!« Die Menge johlte erregt Zustimmung.

»Holen wir den Verräter raus! Erteilen wir ihm eine Lektion, die er so schnell nicht vergessen wird!« Die Menschen drängten gegen das Tor. Sie schienen alles um sich herum vergessen zu haben, jede Angst schien von ihnen gewichen zu sein und einer unbändigen Wut Platz gemacht zu haben.

Als die Gettowächter mit ihren Schlagstöcken zu prügeln begannen, war sich die Menge einig. Sie bildete eine Mauer und steckte die Schläge ein, wankte aber nicht. Irritiert zogen sich die Männer der Gettowache zurück. Sie schienen sich neue Instruktionen holen zu wollen.

Die Tür, die zur Schleuse in der Kavalier-Kaserne führte, öffnete sich einen Spaltbreit. Jemand steckte den Kopf hindurch und fragte nach dem Begehren der Menschenmenge.

»Den Fainberg wollen wir haben, gebt ihn uns heraus, den Spitzel, den miserablen!« Die Leute johlten vor Begeisterung über den Mut, den sie hier bewiesen.

»Ja«, schrien sie, »herausgeben!«

Nun grölte die Menge im Chor: »Herausgeben, herausgeben!«

Nach einer Weile, die David eine Ewigkeit zu dauern schien, öffnete sich die Tür zur Schleuse und ein junger Mann kam auf die aufgeregten

Leute zu, die auf ihn zustürzten. Als sie sahen, dass hinter ihm zwei Männer in SS-Uniformen die Schleuse verließen, war es schon zu spät. Die Menge hatte sich bereits auf den Spitzel gestürzt und verprügelte ihn mit Fäusten und Fußtritten.

Die Männer der SS griffen nicht ein. Sie standen nur und schauten zu, wie die Juden ihrem Zorn Luft machten und einen Verräter aus ihren Reihen zusammenschlugen.

Die Menge verlief sich schnell, als sie Fainberg am Boden sah. Bald waren nur noch David und seine Arbeitskollegen auf der Straße.

Auch die Soldaten verließen die Straße. Sie zogen sich in die Kaserne zurück. Kurze Zeit später kamen zwei Männer von der Transportkolonne mit einer Trage. Sie legten den so hart Geprügelten darauf und trugen ihn zurück in die Schleuse.

David tat seine Arbeit. Er verständigte sich mit den Kameraden durch Blicke und die sagten: Seht ihr, was möglich ist, wenn man zusammenhält?

Dann waren auch die Männer von der Gettowache wieder da. Sie brachten einige Mann Verstärkung mit, standen ratlos herum und fuchtelten nervös mit den Schlagstöcken. ← batons

Mit dem Herbst kam der Dauerregen. Er durchnässte die Kleidung bis auf die Haut und jeder war froh, wenn er sich abends niederlegen und in die dünne Decke einrollen konnte. Musste er am nächsten Morgen wieder hinaus zur Arbeit, war die Kleidung kaum trockener als am Abend zuvor. So kam mit dem Herbst auch die Erkältung und wurde zur Dauerkrankheit im Getto.

David begann in diesen Tagen mit regelmäßigen gymnastischen Übungen. Als er an einem der grauen Novembermorgen wach wurde, stand der kleine Kamerad aus seiner Unterkunft, der Junge mit den hungrigen Augen, wie David ihn nannte, nicht mehr auf. Er war für immer eingeschlafen. Einfach so. Still und ohne Aufhebens hatte er sich davongestohlen aus dem Getto.

David wusste mit einem Mal, dass nur ein sportlicher Körper in der Lage sein würde die Gettozeit zu überleben. Er begann mit Gymnastik und turnte, sooft es seine Zeit zuließ.

Zuerst grinsten die anderen Jungen, dann wurden einige nachdenklich und eine Woche später machten alle mit. Sie schwitzten und schnauften, stöhnten und prusteten, aber sie ließen nicht nach und es bekam allen recht gut.

Ende November hing an der Tafel für Bekanntmachungen die Aufforderung an die Gettojugend, Alten und Kranken beizustehen und zu helfen. Mit der Aktion »Jugend hilft« wollten die Initiatoren der drohenden Verwahrlosung der jungen Menschen entgegenwirken. Die Aktion war freiwillig. Jeder, der mitmachen wollte, musste für mindestens drei Stunden wöchentlich bereit sein und in der Freizeit einem ihm benannten Menschen zur Seite stehen.

Als David das las, stellte er sich spontan zur

Verfügung. Mit ihm waren mehr als dreihundert Jugendliche bereit Hilfe zu leisten, wo sie benötigt wurde.

Die Hilfe bestand darin, die Betten der Alten zu machen, das Essen zu holen, die Unterkünfte zu reinigen und ähnliche Arbeiten zu verrichten. Aber es wurde auch gefordert, nur einfach da zu sein, neben dem Betreuten zu sitzen und auf das zu lauschen, was der zu erzählen hatte; die zitternden Hände zu halten und zu trösten, wenn das Elend zu mächtig drückte – gelegentlich auch einmal aus einem Buch vorzulesen.

Die Männer von der Jugendfürsorge gaben David einen alten Herrn zur Betreuung, der aus dem Sauerland kam. Josef Herz war einmal Ingenieur gewesen. Schon in seiner Jugend hatte sich die gesamte Familie evangelisch taufen lassen. Das war in der Kaiserzeit im Deutschen Reich längst nicht mehr ungewöhnlich.

Die braunen Machthaber aber machten hier keinen Unterschied. Für sie blieb man auch Jude, wenn man zum christlichen Glauben übergetreten war.

Josef Herz war ein Mensch, der David auf den ersten Blick gefiel. Er besaß kluge Augen, die bis auf den Grund der Seele zu schauen schienen. Bald schon war David so oft wie möglich in der Unterkunft des alten Mannes. Der hatte sein Lager in einer Ecke auf dem Dachboden des Kriegsbeschädigtenheimes. Es handelte sich um einen Raum direkt unter den Dachschindeln. Diese waren an einigen Stellen zerbrochen und ließen Wind und Regen, Schnee und Kälte ungehindert ein. Zwölf Invaliden schliefen in vier dreistöckigen Betten, deren obere Etagen nur durch Leitern zu erreichen waren. Für die Männer war es sehr beschwerlich, hinaufzuklettern. Wie in allen Ubikationen, so hingen auch hier die wenigen Kleidungsstücke an Nägeln oder lagen auf den Betten.

Josef Herz hatte unter den zwölf Kameraden eine Sonderstellung. Ihm war ein Bett, ein Einzelbett, bewilligt worden. Ihm fehlte das linke Bein. Er hatte es beim Sturm auf Langemarck in Belgien gelassen, als er für Kaiser und Reich in den Krieg gezogen war. Und weil man ihn damals wegen Tapferkeit vor dem Feind mit dem Eisernen Kreuz dekorierte, bekam er nun ein Lager, auf das er sich legen konnte ohne zu klettern. Er war der dreizehnte unter den Männern im Invalidenheim, die aus allen Teilen Europas stammten und die sich nur recht und schlecht verständigten.

Als David wieder einmal zu Josef Herz kam, wartete der bereits auf den Jungen. Er hatte vor sich auf einer Apfelkiste ein Damespiel aufgebaut. Freude strahlte aus den Augen des Alten, als er David sah.

»Komm, lass uns ein Spielchen machen«, sagte er in einem Dialekt, der David sehr an die westfälische Heimat erinnerte. »Ich habe schon auf dich gewartet!«

David setzte sich. Der Dreibeinschemel krachte in den Fugen. Drei der Kameraden gesellten sich zu den Spielern und schauten ihnen über die Schultern. David machte sein Spiel und sagte: »Haben Sie nichts für mich zu tun, was wichtiger ist als das Spiel?« Herz schüttelte den Kopf. »Ein andermal. Auch zu spielen ist wichtig, David!«

Die Umstehenden brummten Beifall. Nur einer sagte sehr leise, so leise, dass David ihn kaum verstand: »Schön wäre es, wenn er die Löcher im Dach stopfen könnte, damit nicht länger Wind und Regen eindringen können!«

David blickte hoch und sah den Regen durch die Löcher in den Schindeln tropfen. Er beendete das Spiel und stand auf. »Wenn ihr alte Lumpen habt, die nicht mehr zu gebrauchen sind, dann gebt sie her. Ich steige auf die Leiter und versuche die Löcher dicht zu machen!«

Da trollten sich die Invaliden, so schnell wie es ihre kranken Knochen zuließen, und brachten die Fetzen heran.

David stieg die Leiter hinauf. Sie knarrte unter seinem Gewicht. Unten standen die Männer und hielten sie fest. Sie sorgten sich um ihren Helfer. Bald schon war es David gelungen, die größten Löcher zu stopfen. Die Alten strahlten ihn an, als er wieder auf den Dielen stand.

»Du ahnst nicht, wie sehr du uns allen geholfen hast«, dankte ihm Josef Herz, doch David entzog sich dem Dank, er war ihm peinlich. »Ich habe vergessen, dass ich noch was zu erledigen habe«, log er um der Anerkennung der alten Männer zu entgehen. »Ich komme morgen wieder. <u>Dann bringe ich ein Buch mit.</u> Es ist spannend und lässt uns alle auf andere Gedanken kommen!« Bevor er ausgesprochen hatte, war David schon an der Tür und rannte die Treppen hinab.

Die Aktion »Jugend hilft« war bald im Getto bekannt. Sicher, es war nur eine kleine Gruppe Jugendlicher, nimmt man die Masse der jungen Menschen, die im Getto zusammengepfercht waren, aber ihre uneigennützige Hilfe sprach sich schnell herum.

Der Satz: »Das sind die jungen Leute, die nichts nehmen«, wurde recht bald zu einem geflügelten Wort. Die Masse der Jugend aber dachte anders. Sie war nur darauf aus, die Gettoisierung so gut wie möglich zu überleben, und ihre Methoden waren nicht immer korrekt zu nennen. So gab es immer wieder Diebstahl am Essen der alten Menschen. Die Jugendlichen bereicherten sich an den Portionen, ja sie ließen den Alten oftmals nur einen schäbigen Rest übrig. Ohnmächtig vor Zorn sahen diese zu.

Gelegentlich gab es kleinere Überfälle auf alte Leute, die allein auf den Straßen waren. Sie wurden beraubt, ihnen wurden die Schuhe oder andere Kleidungsstücke genommen. Die Diebe tauschten das geraubte Gut dann gegen Lebensmittel.

Die Verrohung unter den Jugendlichen nahm zu, je länger die Menschen unter den Bedingungen des Gettos leben mussten. Es gab schwere

Raufereien und Messerstechereien unter verfeindeten Jugendbanden. Den Jugendlichen war alles genommen worden, was junge Leute für ihre positive Entwicklung brauchen. Nicht einmal die Sicherheit des Überlebens gab es für sie. Sehr vieles, was das Judentum ausmachte, blieb bei den Kindern des Gettos nur oberflächliches Wissen.

Sie kannten zwar die hebräischen Lieder und Gebete, verstanden aber meist davon keine Silbe. Sie plapperten nur nach, was sie von den Älteren hörten. – Seelische Erkrankungen häuften sich unter den Kindern und Jugendlichen. Sehr viele von ihnen wurden unter den Verhältnissen von Theresienstadt zu Stotterern oder zeigten andere psychische Auffälligkeiten.

Schrankenloser Egoismus machte sich unter den Jugendlichen breit. Jeder dachte nur noch an sich und wie er überleben konnte.

Es war an dem Tag, an dem die Christen die Geburt Jesu feiern und den sie den Heiligen Abend nennen. David begab sich wieder einmal zu Josef Herz. Er hatte gegen ein Stück Brot von einem der Jungen im Heim ein Geduldspiel getauscht. Klein und rund war dieses Spiel und auf der Rückseite befand sich ein Spiegel. Durch geschickte Bewegungen musste man drei kleine Mäuse in Fallen bringen und das war gar nicht leicht. Hatte man zwei gefangen und machte sich daran, die dritte Maus einzufangen, dann entflohen die gefangenen Mäuse wieder ihrem Gefängnis.

Josef Herz sah feiertäglich aus. Er war rasiert und schien auf David zu warten. Und auch die anderen in der Unterkunft warteten auf das Kommen des Jungen. Für sie alle war die Begegnung mit ihm eine willkommene Abwechslung und brachte etwas Licht in die Dunkelheit ihres Lebens.

Sie hörten David schon, als der noch auf der Treppe war. Josef Herz zündete drei Kerzenstummel an. Sie standen auf einem Schemel und neben ihnen lagen Kleinigkeiten, die man sich abgespart hatte: ein silbern glänzender Ring, in dessen Platte Davids Initialen D R graviert worden waren, ein Paar fast neue warme Socken und, in Stanniolpapier gewickelt, ein paar Kekse, die aus einem Päckchen stammten, das ein Freund an einen der Invaliden geschickt hatte und das den wie durch ein Wunder erreicht hatte.

David staunte, als er die brennenden Kerzen sah und die dreizehn alten Männer, die im Halbkreis standen und so feierlich wirkten, als seien sie zur Thora aufgerufen.

Josef Herz ergriff für alle das Wort. »Die Freunde haben mich beauftragt dir Dank zu sagen, David. Dafür, dass du deine freie Zeit mit uns Mummelgreisen teilst und uns gezeigt hast, dass auch unter diesen unmenschlichen Verhältnissen die Menschlichkeit noch nicht ausgestorben ist. Und weil es mein Feiertag ist, soll ich dir das überreichen, was hier bereitliegt!«

Staunend, so als fürchte er, der schöne Traum würde zerplatzen, griff David nach dem Ring mit seinem Monogramm: »Wie habt ihr denn das geschafft?«, wunderte er sich und schob den Ring auf den Finger. »Und er passt auch noch, als wäre er für mich gemacht!«

»Ich habe ihn aus einer Mutter gefeilt, David. Das ist keine Kunst, wenn man mal Schlosser war!«

David konnte den Blick nicht abwenden. »Er sieht aus wie aus Silber«, staunte er und polierte ihn am Mantelärmel.

»Das hat der Oppermann gemacht, auch das Monogramm ist seine Arbeit. Er ist es ja gewöhnt, er ist ja Goldschmied. Hier aber musste er mit einem Nagel gravieren und das war nicht leicht!«

»Die Strümpfe sind von mir«, sagte ein anderer und ein Dritter fügte hinzu: »Und ich habe die Kekse gespendet!«

David war beschämt und er zeigte es. »Und ich habe nur eine Kleinigkeit für Josef Herz!« Er zog das Geduldspiel aus der Tasche und reichte es Herz hin. Der nahm es, lachte und bekam feuchte Augen. »Daran haben wir alle unseren Spaß, Junge. Ich danke dir!«

David wickelte die Kekse aus, brach sie in kleine Teile und bot allen davon an. Keiner wehrte sich. Sie nahmen von den Brocken mit zitternden Händen.

»Willste nicht die Socken ansehen«, fragte

der, der sie geschenkt hatte, und seine Stimme klang ein wenig traurig.

David nahm sie in die Hand und probierte die Größe über der geballten Faust. »Die passen und schön warm sind sie«, bedankte er sich.

An jenem Heiligen Abend begleitete David den alten Herrn Herz zur Betstube der evangelischen Christen, damit er den Geburtstag seines Gottes feiern konnte.

Die Betstube befand sich im Keller der Sokolhalle, in der das Krankenhaus untergebracht war. Sie lag neben dem Kohlenkeller und es war warm in ihr. Erhellt wurde sie durch eine schwach brennende Lampe, die alles im Raum nur undeutlich erkennen ließ. Ein weiß gedeckter Tisch stellte den Altar dar. Auf ihm befanden sich zwei Kerzen, zwischen denen ein Kreuz stand.

Drei roh gezimmerte Bänke standen im Raum. Auf ihnen saßen vielleicht fünfzehn Menschen. Die meisten von ihnen waren im Greisenalter. Mehr Frauen als Männer waren gekommen.

David erlebte zum ersten Mal in seinem Leben einen christlichen Gottesdienst. Er hielt Augen und Ohren offen. Nichts, so nahm er sich vor, sollte ihm entgehen.

Die kleine Schar sang ein Lied, das David schon zu Hause, in der engen Gasse, die sich Stiege nannte, gehört hatte. Die Nachbarn sangen es, wenn die Weihnachtszeit da war. »Stille Nacht, heilige Nacht«, sangen die Gettochristen, aber es klang kraftlos und kläglich. Ein Mann sprach von Liebe auf Erden und von Frieden und einem Wohlgefallen, das allen Menschen gelte. David lächelte innerlich ein trauriges Lächeln. Frieden und Liebe und das hier im Getto von Theresienstadt. Es war zum Lachen, nein, es war zum Heulen. Und doch beneidete er die Menschen um ihren Glauben, der sie noch unter diesen schrecklichen Umständen feiern und glaubend beten ließ.

Nach dem Gottesdienst reichten sich die Christen die Hände. Sie schüttelten auch David die Hand. Dann gingen sie still auseinander, jeder in seine Unterkunft.

Als David mit Josef Herz am Arm auf die Straße trat, fiel dicht und stöbernd der Schnee. Eine weiße Decke lag schon über dem Getto und ließ alles in einem milden Licht erscheinen.

»Gehen Sie vorsichtig, Herr Herz, es ist glatt, und krank werden dürfen wir nicht. Stützen Sie sich nur richtig auf mich!«

Sie gingen langsam durch den Schnee. »Morgen gibt es einen schweren Tag für die Kolonne. Schneeschaufeln ist gar nicht so leicht, das geht in die Arme!«

»Du schaffst das schon, David! Man schafft alles, wenn man nur richtig will!«

David lieferte Josef Herz in seiner Dachkammer ab, saß noch ein wenig bei den Invaliden, die wissen wollten, wie ihm der christliche Gottesdienst gefallen hatte.

Dann wurde es Zeit zu gehen. David ließ die

alten Männer in ihrer kalten Dachstube allein. Durch die Ritzen der Schindeln stob der Schnee und wurde vom Wind in die Stubenecken geweht.

Als er auf der Straße stand, schaute er zum Himmel auf und dachte bei sich: Was ist das für ein Gott, der das alles zulässt!?!

III

Das Jahr 1943 begann unauffällig.

In der Silvesternacht war David aus dem Schlaf geschreckt. Es gab Schüsse und auch lautes Krachen war zu hören. Es erinnerte ihn an die lärmenden Silvesterfeiern in der engen Gasse zu Hause in Hagen. Er drückte sich so behutsam wie möglich an den Schlafenden vorbei, trat an das Fenster und öffnete es einen Spaltbreit. Die eindringende Kälte ließ die Schlafenden wach werden. Sie sahen Davids Schatten am Fenster, hörten die Schüsse und das Krachen der Böller und bald standen alle Jungen barfuß und frierend am Fenster und lauschten hinaus in die erste Nacht des neuen Jahres. Sie hörten, wie die Soldaten beim SS-Kameradschaftsheim lauthals feierten, hörten ihr trunkenes Schreien und flotte Radiomusik.

David erinnerte sich an den Herrn Matzunke, der einmal in einer Silvesternacht zu seiner Mutter gesagt hatte: Der Glaube an den Führer Adolf Hitler ist der allein selig machende Glaube, und dann die Trompete an den Mund setzte um das neue Jahr mit seinem Spiel zu begrüßen.

»Mutter«, sagte der Junge und ihm wurde bewusst, wie sehr er sich nach ihr sehnte. Die anderen, die um ihn waren, verstanden, was David geflüstert hatte. Sie zogen sich auf ihr Lager zurück. David schloss das Fenster, blieb noch eine Weile mitten im Raum stehen und bemerkte nicht einmal, wie seine Füße zu Eisklumpen wurden. Dann aber schüttelte er die trüben Gedanken ab und flüchtete unter die dünne Decke. Er zitterte vor Kälte, rieb sich die Füße warm und sagte in die Dunkelheit der Unterkunft: »Ein gutes Jahr uns allen gewünscht. Hoffentlich erleben wir auch noch das nächste!« Er wartete nicht auf die Antwort der Jungen. Sie kam auch nicht. Es war sehr still in der Stube.

Vom Hotel Viktoria her, in dessen Räumen sich das SS-Kameradschaftsheim befand, klangen noch immer die das neue Jahr begrüßenden Schüsse.

David schloss die Augen. Er wollte schlafen, aber es gelang ihm nicht. Zu heftig rumorte der Hunger in den Därmen. Endlich aber überlistete der Schlaf den Hunger und noch im Einschlafen flüsterte der Junge: »Mutter, liebe Mutter!«

Mitte Januar erhielt David den Befehl sich bei der Kohlenkolonne zur Arbeit zu melden. Er war ausgewählt worden, weil er körperlich kräftig war und weil für die schwere Arbeit nur kräftige junge Männer taugten. David nahm den Befehl hin ohne ein Wort darüber zu verlieren. Er hatte inzwischen erfahren, dass Weigerung mit Schlägen, Haft oder sogar Transport in den Osten bestraft wurde. Als er hörte, dass er für die schwere Arbeit eine bessere Verpflegung bekommen würde, nahm er dies als einen Wink des Himmels.

Die Kohle, die in das Getto geliefert wurde, bestand hauptsächlich aus minderwertiger Braunkohle. Gelegentlich wurde auch Brennholz zugeteilt, meist aber nur in lächerlich kleinen Mengen. Nur die Küchen, die Häuser der SS und ihrer Familien, die Unterkünfte der tschechischen Gendarmen und nicht zuletzt die Dienststellen der Gestapo und die Kommandantur erhielten beste Steinkohle geliefert.

Die Stuben der Gettobewohner dagegen waren kaum beheizt. Selbst an den frostigen Tagen waren sie so kalt, dass der Atem an den Wänden zu Reif gefror. Halbwegs vernünftig geheizt waren nur die Krankenstuben, die Krankenhäuser und die Kinderheime.

David schwitzte unter der Last des schweren Korbes. Vor dem Hotel Viktoria lag ein mächtiger Haufen bester Steinkohle, die in die Keller geschafft werden musste. Schon seit einigen Stunden war die Kohlenkolonne bei der Arbeit. Aus den verschwitzten, staubgeschwärzten Gesichtern der Arbeiter blitzte nur das Weiß der Augäpfel.

Ein Gendarm stand mit aufgepflanztem Bajonett Wache neben dem Kohlenberg. Seine Hände steckten in dicken wollenen Fausthandschuhen. Drei Schritte hin, drei Schritte her machte er, blieb eine Sekunde stehen und ging wieder seine drei Schritte.

David wusste, wie jeder im Getto, dass diese

Wache notwendig war. Kohlen gehörten zu den begehrtesten Tauschobjekten und wurden gestohlen, wenn sich die Möglichkeit dazu bot. Selbst harte Strafen schreckten die Diebe nicht ab.

Wieder buckelten die Arbeiter ihre Körbe die steile Kellerstiege hinab.

David ließ den schweren Korb von den Schultern gleiten. Die Kohlen rollten heraus auf den Haufen, der mit jeder Korbfüllung größer wurde.

Im Kellergang blieb David stehen, wischte sich mit dem Ärmel, auf dem der Schweiß zu Eis gefroren war, die Stirn ab. Er schnaufte tief durch und stieg die Treppe hinauf. Oben standen schon wieder neue Körbe gefüllt bereit.

David wuchtete sich einen Korb auf die Schulter. Nur schwer kam er aus der Hocke hoch. Die harte Arbeit verlangte alle Kraft von ihm. Auf dem Weg zum Kellereingang sah er einen SS-Mann stehen, der ihn interessiert beobachtete, so schien es David. Dann aber verwarf er diesen Gedanken wieder, er war zu abwegig. Er schleppte den Korb in den Keller und machte eine kleine Pause, bevor er wieder nach oben kam.

Der Uniformierte mit dem blitzenden silbernen Totenkopf an der Schirmmütze stand noch an derselben Stelle. Er war dabei, mit vor Kälte steifen Fingern ein Feuerzeug in Gang zu setzen, um sich eine Zigarette anzuzünden. David musste nahe an ihm vorüber. Er zog die Mütze vor ihm, wie es Gesetz war im Getto.

Der Soldat winkte ihn heran. David stand stramm, legte die Hände fest an die Hose und sah starr vor sich hin, vermied aber in Augenkontakt mit dem anderen zu kommen. Ihm schlug das Herz wie toll in der Brust und er gestand sich ein, dass er Angst hatte.

Rasend schnell überlegte er, was den SSler veranlasst haben konnte ihn zu sich zu befehlen. Ihm fiel nichts ein.

Die anderen Arbeiter der Kohlenkolonne beeilten sich nun noch mehr, die Körbe in den Keller zu schaffen. Sie schleppten sie fast im Laufschritt die Treppe hinab.

Der Uniformierte hielt David eine Zigarettenschachtel hin. Er nickte einladend: »Hier, nimm eine!«

David nahm die Zigarette und barg sie in der Mütze: »Danke, mein Herr«, sagte er und wollte weiter, aber der Soldat ließ es nicht zu. »Woher kommst du?«, fragte er und ließ den Jungen nicht aus den Augen.

»Aus dem Ruhrgebiet, aus Deutschland«, erwiderte David und wartete auf das, was nun kommen würde.

»Hab mir schon gedacht, dass du kein Pollack oder Tschech bist. Wie lautet deine Transportnummer, wie ist dein Name?«

David bekam keinen Ton heraus. Trotz der Kälte lief ihm der Schweiß in kleinen Bächen über den Rücken und das Herz hämmerte wie wild. Er schluckte ein paar Mal, dann erst war es ihm möglich, Namen und Transportnummer zu nennen.

Der Uniformierte notierte sich beides. David stotterte: »Ich habe nichts verbrochen, Herr! Bitte, meldet mich nicht!«

Der Mann unter der Totenkopfmütze winkte ab. »Kein Aas will was von dir! Ich habe nur gesehen, wie gut du deine Arbeit tust, und weil wir für unsere Unterkunft einen Putzer suchen, der flink und sauber ist, habe ich mir deine Personalien aufgeschrieben. Du wirst von mir hören!« Er rückte die Schirmmütze gerade und ging mit wiegenden Schritten fort.

David stand wie angewurzelt. Die grässliche Angst, die ihn so plötzlich gepackt hatte, war wie fortgeblasen. Erleichtert griff er die Henkel des Kohlenkorbes und wuchtete ihn auf die Schultern.

Kaum eine Woche war seit dem Treffen mit dem SS-Mann vergangen, als er von der Einsatzleitung in das Büro befohlen wurde. David kam diesem Befehl nach und stand noch vor Arbeitsbeginn vor dem Leiter, der sehr interessiert ein Schriftstück studierte.

Herr Grodnik war ein kleiner Mann mit riesiger Glatze, die in blauroten Farbschattierungen schimmerte. Er schaute missgelaunt über den Rand der Brille und knurrte: »Ab sofort bist du nicht mehr für uns tätig. Die Dienststelle hat dich als Arbeiter angefordert. Hier hast du einen Laufzettel. Auf dem steht genau, was du alles zu erledigen hast. Von der Arbeit bist du ab sofort freigestellt. Und nun gehe und erledige alles richtig!« Kaum hatte er das letzte Wort ausgesprochen, war David für ihn schon nicht mehr vorhanden. Grodnik vertiefte sich in seine Akten und erwiderte nichts, als David sich verabschiedete.

Vor der Tür des Einsatzleiters blieb der Junge einen Moment stehen und las das Schreiben, das ihm der Glatzköpfige mitgegeben hatte.

»*Laufzettel*
1. Ärztliche Untersuchung
2. Ausstellung des Passierscheines für den arischen Bezirk
3. Meldung bei Hauptscharführer Meißner, Zimmer 4 der Kommandantur«,

las David und hielt sich längere Zeit bei dem Namen des SS-Mannes auf. Hauptscharführer, dachte er, das ist also mehr als so ein einfacher Sturmmann, der hat schon was zu sagen. Innerlich freute er sich und war stolz, dass der SSler ihn und seine schwere Arbeit nicht vergessen hatte.

Der jüdische Arzt, der seinen Gesundheitszustand zu untersuchen beauftragt war, machte sich die Arbeit leicht. Er schaute David nur kurz an, fragte uninteressiert: »Irgendwelche Beschwerden, Krankheiten, Auffälligkeiten?«

»Nichts dergleichen«, erwiderte David. Der Mediziner schrieb ein paar Zeilen, schob ihm ein unterschriebenes Formular zu und sagte: »Dann viel Glück!«

David wandte sich zum Gehen, stand ein wenig unschlüssig und fragte den Arzt endlich: »Und wo bitte finde ich die Passierscheinstelle für den arischen Bezirk?«

Mürrisch antwortete der Doktor: »Gleich im Parterre des Nachbarhauses. Und nun geh endlich, ich habe zu tun!«

David ging. Im Nachbarhaus schaute er nach den Aufschriften, die sich an den Bürotüren befanden. Endlich sah er die Aufschrift Passierscheinstelle und betrat nach kurzem Anklopfen das Zimmer. Hier schien man schon auf ihn gewartet zu haben. Zwei ältliche Fräulein und ihr Vorgesetzter musterten David eindringlich mit fragenden Augen. Er dachte: »Für die scheine ich das achte Weltwunder zu sein, so dämlich starren die mich an.« Er legte den Laufzettel auf den Tisch vor die Fräulein, die ihn sofort weiterreichten an den Bürochef.

»David Rosen«, nuschelte der kaum verständlich. »Wir haben dich schon erwartet!« Er kramte in einer Akte herum und zog eine Karte aus festem Karton hervor. »Hier ist der Passierschein, der zum Betreten der arischen Stadt berechtigt. Unterschrieben und gesiegelt von der SS-Kommandantur. Und nun melde dich bei Hauptscharführer Meißner und mache uns keine Schande!«

David nickte und ging. Unterwegs dachte er: »So ein Blödsinn, ich soll ihnen keine Schande machen. Die sitzen warm und fast satt mit ihren dicken Ärschen hinter den Schreibtischen und ich soll ihnen keine Schande machen. Sollten selber mal ein paar Kohlenkörbe schleppen, dann würden sie nicht mehr so idiotisch quatschen.« Und er nahm sich vor, den denkbar besten Eindruck auf Hauptscharführer Meißner zu machen und seine neue Arbeit, ganz gleich, was es auch sei, so gut zu tun, dass niemand eine Rüge gegen ihn vorbringen konnte. »*Ich werde so gut arbeiten wie kein anderer vor mir*«, flüsterte er, als er durch den Schnee stapfte, »*denn ich will diese Zeit überleben!*«

Der Hauptscharführer wartete schon auf den jungen Juden. Interessiert ließ er seine spöttischen Blicke über die zerschlissene Kleidung des Jungen gleiten, der in strammer Haltung vor ihm stand und die Befehle des Uniformträgers erwartete.

Meißner erhob sich, strich sich mit einer großen Geste die Uniformjacke glatt und kam auf David zu. Dicht vor ihm blieb er stehen, so dicht, dass David den Atem des anderen in seinem Gesicht fühlte. »Da bist du also, Rosen«, sagte er salopp und gar nicht soldatisch.

»Jawohl, Herr Hauptscharführer, zur Stelle«, gab David zur Antwort und stand so stramm, als sei er aus Stein.

Mit wiegenden Schritten umkreiste der junge Soldat den jungen Juden. David dachte: »Der ist nur ein paar Jahre älter als du.« Er rührte sich nicht vom Platz, so unangenehm er es auch empfand, die Blicke des anderen in seinem Nacken zu spüren.

Meißner umkreiste David ein paar Mal. »Woran zum Teufel erkenne ich, dass er ein Jude ist?«, murmelte er. »Der sieht fast so aus wie mein Bruder. Ich sehe da nichts Artfremdes, nichts Jüdisches.« Schnell schüttelte er diese Gedanken ab. Ärgerlich über sich selbst knurrte er: »Du bist ein Spinner, Meißner! Überlass das Denken dem Führer!«

Er blieb vor David stehen, sah ihm in das Gesicht und sagte herrisch schnarrend: »Zunächst werde ich dich in der Putzkolonne einsetzen, die unsere Unterkünfte zu säubern hat. Stellst du dich tüchtig an und arbeitest du zur vollen Zufriedenheit, habe ich andere Aufgaben für dich. Und nun geh, Rosen, und melde dich bei dem Einsatzleiter zum Arbeitsantritt!«

David reckte sich stramm auf und hielt die Hände fest an die Hosennaht gepresst.

»Jawohl, Hauptscharführer«, bestätigte er laut den erhaltenen Befehl und marschierte zur Tür.

Meißner rief ihn noch einmal an: »Den Passierschein hast du? Ohne ihn kommst du nicht aus dem Getto!«

»Jawohl, Hauptscharführer, Passierschein vorhanden«, sagte David mit lauter Stimme und wunderte sich über seinen Mut.

»Dann ab durch die Mitte, Rosen!«

David öffnete die Tür und trat hinaus auf den Flur. Schnellen Schrittes verließ er die Kommandantur. Hinter sich hörte er, dass Meißner einen anderen SSler herzlich begrüßte: »Komm rein,

112

Hans-Dieter, ich habe einen prima französischen Cognac im Schreibtisch!«

Und der andere erwiderte mit heller, jungenhafter Stimme: »Dufte, Peter, ehe ich mich schlagen lasse, hauen wir der Pulle den Hals ab!«

David marschierte in die Richtung, in der er die Unterkünfte der SSler wusste. Am Übergang in die arische Stadt standen zwei der tschechischen Gendarmen an der geschlossenen Schranke und stampften mit ihren Stiefeln im Schnee.

»Pasirka«, verlangte einer und streckte fordernd die Hand aus. David reichte ihm den Passierschein hin. Der Tscheche studierte ihn sehr genau und ließ den Jungen vorbei.

Wie im Traum ging David. Er konnte es nicht fassen, dass er im arischen Teil war. Nach einigen Schritten blieb er stehen und wandte sich um. Er sah die Gendarmen stehen und hörte sie unverständlich reden. Er sah das Warnschild am Schlagbaum und las: *Stehen bleiben verboten* und ging schnell weiter.

Es war am Abend nach dem ersten Arbeitstag in der SS-Kaserne. Der Tag war schwer gewesen und hatte David viel Kraft abverlangt, aber er hatte ihm auch das Bewusstsein gegeben, dass er in der Lage war gute Arbeit zu leisten. Der jüdische Einsatzleiter, ein junger Mann aus Prag, ein ehemaliger Offizier der tschechischen Armee, war mit seinen Leistungen zufrieden und sagte es David. Der bekam vor Freude rote Ohren und machte seine Arbeit noch gründlicher. So war dieser erste Tag schnell vorübergegangen und nun stand David vor der Dachkammer des Invalidenheimes. Vom hastigen Treppensteigen war er außer Atem und er wartete ein wenig, bevor er eintrat.

Es war kalt in der Mansarde und David merkte sofort, dass der Kanonenofen nicht geheizt war. Vier der alten Männer lagen auf ihren Strohsäcken. Die anderen hockten eng beieinander. Als David in das Zimmer kam, schraken die Männer hoch. Als sie erkannten, wer der Besucher war, winkten sie ihm erleichtert zu.

»Komm her, setz dich zu uns«, lud ihn Josef Herz ein und rückte ein wenig auf seinem Bett zur Seite. »Wir hören gerade Radio London!«

David blieb erschrocken stehen. »Und da habt ihr keinen zum Schmierestehen draußen? Leichtsinnig seid ihr und Leichtsinn kann euch Kopf und Kragen kosten!«

Herz verstaute den kleinen Kasten mit seinen Kopfhörern im Strohsack, griff nach den Krücken und erhob sich. »Du hast schon Recht, David, aber wenn es immer gut gegangen ist, wird man mit der Zeit unbekümmert!«

»Seit wann habt ihr den Radioapparat? Bisher habe ich nichts davon mitgekriegt!«

Die Alten feixten und Herz sagte: »Na, können wir ein Geheimnis für uns bewahren?«

Ein anderer berichtete belehrend: »Das ist ein Detektor, der empfängt ohne Strom und Akku. Josef hat ihn gebastelt und jetzt haben wir we-

114

nigstens ein Ohr draußen um zu hören, was sich tut!«

»Und es tut sich was«, fiel ein Dritter ein. »Im Osten hat der strenge Winter den Vormarsch der Deutschen gestoppt und sie müssen an den verschiedensten Fronten zurück!« Triumph klang aus seinen Worten und auch Josef Herz sagte: »An dem Riesenreich Russland hat sich schon Napoleon die Zähne ausgebissen, warum soll es dem Gefreiten aus Braunau besser ergehen!«

David blickte sich in der Stube um, sah die Männer auf ihren Lagern und fragte: »Was ist mit denen?«

»Krank sind sie halt. Du weißt doch selbst, wie schnell man hier auf der Schnauze liegt! Die liegen jetzt schon den zweiten Tag, haben Kopf- und Bauchschmerzen, Schüttelfrost und Fieber. Alles deutet auf Typhus hin!«

»Ja, ja, diese verfluchten Läuse«, bestätigte ein anderer und begann sich gleich darauf zu kratzen.

»Hoffentlich kommt heute endlich ein Arzt. Die haben so viel zu tun, dass sie nicht wissen, wo ihnen der Kopf steht. Überall im Getto hat der Typhus zugeschlagen. Jetzt sollen diejenigen, die noch gesund sind, geimpft werden!« Josef Herz hörte auf zu berichten, als er hörte, wie einer der Kranken wimmerte.

David machte einen Schritt auf das Lager des Stöhnenden zu und ging daneben in die Hocke. »Kann ich was für dich tun?«, fragte er und neigte sich zu dem Kranken.

»Wasser«, flüsterte der heiser, »ich habe Durst!«

David brachte ihm Wasser aus einem Eimer in einem lecken Emaillebecher. Der Kranke trank hastig und sah David mit dankbaren, unendlich traurigen Augen an.

Josef Herz kam auf seinen Krücken näher. Am Fußende des Lagers blieb er stehen und sagte leise: »Pass bloß auf, Junge, dass du dir nicht auch noch die Krankheit holst!«

David wehrte ab. »Ich seh mich schon vor. Aber wer ist das? Den kenne ich noch nicht! Ein Neuzugang?«

»Da sieht man mal, wie lange du nicht bei uns gewesen bist! Der Chawer ist vor etwa einer Woche eingewiesen worden!« Herz machte eine Pause, winkte David zu sich heran und sprach weiter, als der Junge neben ihm stand. »An seinem Fall kannst du sehen, mit welchen Tricks die Nazis arbeiten um uns noch das letzte Geld aus den Taschen zu ziehen. Der arme Teufel hat sich und seine Frau in ein Heim in *Theresienbad* eingekauft und musste den Nazis eine enorme Summe für diesen Heimplatz hinblättern!«

David blieb der Mund offen. »Theresienbad«, staunte er, »was sind denn das für Scherze?«

»Keine Scherze, David! Bitterer Ernst der Herrenmenschen ist das. Und in der Hoffnung, noch einen Platz zum Überleben zu bekommen, zahlen Menschen wie der da auch noch Geld für das Getto!«

Ein Arzt kam. Er wurde von zwei Desinfek-

116

toren begleitet. Die Invaliden verließen die Mansarde und drängten sich auf dem schmalen Treppenabsatz. David ging mit hinaus.

David berichtete von seinem neuen Arbeitseinsatz. Interessiert hörten die Invaliden zu und ihre Gesichter hellten sich auf, als David sagte: »Wir bekommen von dem Essen der SS, wenn was übrig bleibt. Vielleicht kann ich mal was ins Getto schleusen und euch herbringen!«

Josef Herz aber war realistischer: »Fürs Erste reicht es, wenn du unsere Rationen von der Küche herbeischaffst. Wir sind immer verdammt froh, wenn wir die steilen Stiegen nicht steigen müssen!«

David rannte die Treppen hinab. Gerne war er den Alten behilflich. Vor dem Schalter der Küche stand eine lange Menschenschlange an und wartete darauf, die Ration, die einen Tag Leben bedeutete, zu erhalten. David stellte sich an das Ende der Reihe.

»Theresienbad«, sagte er leise für sich, »zum Lachen ist es, wenn es nicht so traurig wäre!«

In jenen ersten Monaten des dreiundvierziger Jahres raffte die Typhusepidemie Tausende hinweg. Besonders unter den alten und geschwächten Menschen hielt der Tod reiche Ernte.

Die Leichenträger kamen kaum mit den Transporten in die Zentralleichenkammer und zum Krematorium nach. Sie mussten jeden Tag länger arbeiten.

Die Kommandantur befahl alle Gesunden in einer Massenaktion gegen Typhus zu impfen.

Endlich, als es wärmer wurde und das Kommen des Frühlings schon zu ahnen war, ebbte die Epidemie ab. Viele erlebten diesen Frühling aber nicht mehr.

Irgendwas ganz tief in ihm zwang David, Doktor Weinberger aufzusuchen. Den ganzen Tag über ließ ihn der Gedanke an den Arzt nicht los. Nun, nachdem er gewaschen war und gegessen hatte, machte er sich auf den Weg zur Kinderstation. Auf sein heftiges Klopfen öffnete der Pfleger die Tür. Er erkannte David sofort wieder und ließ ihn ein.

Doktor Weinberger drehte sich um, als David nach kurzem Anklopfen in das Ordinationszimmer kam. Er schien nicht ein bisschen überrascht zu sein den Jungen zu sehen.

»Komm her, Rosen«, sagte er rau und schüttelte David die Hand, »da soll noch mal jemand sagen, dass es keine Gedankenübertragung gibt! Die ganze Zeit habe ich an dich gedacht!«

»Und mir ging es geradeso. Immer bist du mir im Kopf herumgespukt, Doktor!«

»Schön, dass du da bist. Ich wollte dich noch einmal sehen, bevor es auf Transport geht«, sagte der Arzt und David erschrak sehr, als er das Wort Transport hörte.

»Wieso denn das«, stotterte er, »du wirst doch hier gebraucht, Doktor!«

Weinberger setzte sich und lud auch David ein sich niederzusetzen. »Die Sache ist so«, begann er, »etwa einhundertfünfzig tuberkulöse Kinder werden auf Transport in ein Lungenkranken-

118

haus im Osten geschickt, und weil doch irgendwer dabei sein muss, habe ich mich entschlossen die Kinder zu begleiten. Viele von ihnen kennen mich und haben zu mir Vertrauen und so wird es ihnen leichter fallen in der neuen Umgebung!«

Weinberger erkannte mit schnellem Blick, dass Trauer in David aufstieg. Er knuffte ihn in die Seite. »Haltung, Junge«, sagte er, »aber ich werde dort gebraucht, vielleicht mehr als hier, wo doch relativ viele Mediziner praktizieren!«

»Hast du noch nichts gehört von den Lagern im Osten, Doktor? Wer weiß, ob die Kinder nicht dorthin gebracht werden? Es soll sehr mies in diesen Lagern zugehen. Im Vergleich dazu soll unser Getto das reine Paradies sein!«

»Alles Bonkes, David! Du kennst doch uns Juden. Sie brauchen auch nur ein Wort zu hören und schon machen sie eine wilde Geschichte daraus«, beschwichtigte der Arzt den Jungen. »Sobald es mir möglich ist, schreibe ich dir, und du wirst sehen, dass alles nur halb so schlimm wird, als unsere Fantasie es befürchten lässt!« Weinberger stand auf und begann im Schrank nach seiner geringen Habe zu suchen. Sofort stand David neben ihm. »Kann ich dir helfen, Doktor?«

»Wobei? Meine drei Sachen werde ich schon noch alleine zusammenräumen können!« Eine Pause entstand. Endlich sagte Weinberger: »Machen wir uns den Abschied doch nicht so schwer, David! Wer weiß, vielleicht sehen wir uns einmal wieder, vielleicht in einer besseren Zeit!«

Er reichte dem Jungen die Hand. »Halt die

119

Ohren steif und lass dich nicht unterkriegen! Und nun hau schon ab.« Er drehte David den Rücken zu.

»Schalom, Doktor«, sagte der Junge leise, »und schreib mal, wenn du angekommen bist!« Er wartete nicht auf eine Antwort, öffnete leise die Tür und verließ den Arzt, der ihm in schweren Stunden fast ein Freund geworden war.

Am nächsten Morgen ging der Kindertransport ab. Begleitet wurde er von Doktor Weinberger und vier Krankenschwestern.

David hörte nie wieder etwas von dem Arzt, den Schwestern und den hundertfünfzig Kindern.

Der Frühling brach über Nacht die Knospen der alten Kastanienbäume auf. Der April war so warm wie selten. Für die frostklammen Menschen des Gettos war diese frühe Wärme wie ein Geschenk des Himmels. Sie brachte den Mut zum Leben zurück.

David hatte inzwischen »Karriere« gemacht. So nannten es die Jungen im Jugendheim neidisch. Er war verpflichtet worden seine Arbeit im SS-Kameradschaftsheim zu tun. Hauptscharführer Meißner hatte ihn im Auge behalten und seine »Versetzung« veranlasst.

Das Kameradschaftsheim lag gegenüber dem Brunnenpark. Es war im ehemaligen Hotel Viktoria untergebracht, das wohl das beste in Theresienstadt war. In ihm befand sich auch die SS-Dienststelle, die Kommandantur. Alles war hier auf das Vornehmste eingerichtet und das Kameradschaftsheim war ausgestattet mit der Plüschpracht vergangener Jahrzehnte.

David und drei andere Jungen etwa gleichen Alters waren verpflichtet für Sauberkeit und Ordnung in allen Räumen zu sorgen. Sie hatten zu putzen und zu bohnern, mussten Parkett und Plüschsofas pflegen, hatten unauffällig im Hintergrund zu stehen, um präsent zu sein, wenn sie gebraucht wurden, um überfüllte Aschenbecher zu säubern oder neue Getränke herbeizuschaffen.

Die SSler statteten David und die drei anderen Ordonnanzen mit weißen Jacken aus. Sie trugen ordentliches Schuhwerk und die Hosen waren sauber und ungeflickt. Sie durften sich von den Speiseresten nehmen, die auf den Tellern liegen geblieben waren. Die Ordonnanzen mühten sich ihre Arbeit gut zu erledigen und keinen Anlass zur Klage zu geben. Eine solche Klage hätte unweigerlich die Entfernung aus dem Dienst mit sich gebracht.

In jeder zweiten Woche wurde es sehr spät. Dann kam David kaum vor Mitternacht in das Getto zurück. Manchmal gab es an einigen Vormittagen frei. In einer dieser frühen Morgenstunden nahm sich David vor, »seine Invaliden« zu besuchen.

Als er die Mansarde betrat, diskutierten die Männer. Sie unterbrachen die Debatte erst, als David eine Papiertüte unter der Jacke hervorzog und auf den Tisch legte.

»Ich habe euch wieder mal Zigarettenstummel mitgebracht«, verkündete er lautstark. Die Alten stürzten sich auf das wertvolle Mitbringsel. Tabak war neben Brot das wichtigste Tauschmittel im Getto. Für ihn bekam man unter der Hand alles, oder fast alles. Die Zigarettenkippen wurden aufgebrochen und die Tabakreste auf einem Haufen in der Tischmitte gesammelt. Sorgsam ging man mit den Stummeln um, darauf bedacht, dass nicht ein Krümel Tabak zu Boden fiel.

Josef Herz unterhielt sich mit dem Jungen. Der hatte sich in der Dachstube umgesehen und fragte Herz: »Wo ist denn der Kurgast von Theresienbad abgeblieben? Hat er vielleicht doch noch einen Sonderplatz bekommen?«

»Der braucht keinen Platz mehr. Er hat es überstanden«, erwiderte Herz und sprach schnell weiter um keine trübe Stimmung aufkommen zu lassen. »Du hast ein unverschämtes Glück gehabt, David. Die Arbeit bei der SS ist mehr wert als Rothschilds Millionen. Bete, dass dieses Glück dich nicht verlässt!«

Inzwischen hatten die Männer den Tabak fertig zerbröselt. Einer holte eine verschließbare Blechdose, die unter einer losen Fußbodendiele versteckt war, hervor. Behutsam füllten sie den neu gewonnenen Tabak hinein, verschlossen die Dose und dann brachte sie der, der sie hergeholt hatte, wieder zurück unter das Dielenbrett.

»Davon kannst du uns bringen, so viel du bekommst! Uns hilft es unsagbar viel. Selbst Medikamente, die für Gold nicht zu kaufen sind, gibt es für Tabak!« Herz drückte dem Jungen dankbar und sehr fest die Hände, und die anderen um sie herum bestätigten seine Worte.

»Gelegentlich muss ich ins Jugendheim was mitnehmen. Ihr wisst ja, wozu Neid führen kann. Man ist schnell angezeigt und dann wird es schwer, sich da wieder herauszureden!«

Josef Herz nickte verständnisvolle Zustimmung. »Wir sind dir dankbar für jede Kleinigkeit, die du uns bringen kannst, David!«

»Du, Josef«, gab einer der Männer dem Gespräch eine Wendung, »hast du David schon berichtet, was Radio London gesendet hat?«

David bekam spitze Ohren. »Habt ihr Neuigkeiten? Erzählt, was gibt es zu berichten?«

»Warte nur, bis die Uhr vom Kirchturm* die volle Stunde schlägt. Dann bringen sie die neuesten Nachrichten, die wollen wir uns anhören!« Er wendete sich an die Männer: »Wer von euch an der Reihe ist Schmiere zu stehen, der geht hinaus ins Stiegenhaus!«

Der Invalide, der zum Wachehalten bestimmt war, trat leise hinaus in das Stiegenhaus und schloss sorgsam die Tür hinter sich.

Endlich war es so weit. Die Uhr schlug zehnmal, der Detektor wurde aus seinem Versteck

---

* Die Kirchturmuhr der kath. Kirche wurde in Betrieb gehalten, obwohl die Kirche unbenutzt war. Einer der Gettobewohner war abgestellt die Uhr zu warten. Als das Werk später defekt wurde, mussten die Zeiger mit der Hand bewegt werden.

geholt. Aus Dankbarkeit reichte Josef Herz David die Kopfhörer. »Da, setz sie auf und erzähl uns hinterher, was sie gesagt haben!«

David zog die Kopfhörer über die Ohren. Einer der Männer drückte ihn auf einen Stuhl. Erwartungsvolle, gespannte Stille legte sich auf alle im Raum. David lauschte. Seine Augen wurden von Sekunde zu Sekunde größer, staunender. Das Blut stieg ihm heftig in das Gesicht. Erregt sprang er auf, so heftig, dass der Stuhl polternd zu Boden fiel. Mit angespannten Muskeln, den Kopf tief in den Nacken gezogen, stand David da und hörte die Meldung.

Dann legte er den Kopfhörer in Josef Herz' Hände zurück. »Puhh«, schnaufte er, »es geschehen noch Wunder. Seit einer Woche kämpfen Männer, Frauen und Kinder in den Ruinen des Warschauer Gettos* gegen die deutschen Soldaten. Sie haben sich in die Trümmer der zerstörten Häuser eingegraben und kämpfen gegen eine Übermacht gut gerüsteter Soldaten. Selbst gegen schwere Waffen halten die Juden die Gettofestung!«

Den Invaliden liefen die Tränen in die Bärte. Sie wischten sie nicht ab. Alle sprachen durcheinander, ein richtiges Tohuwabohu war ent-

---

* Vom 18. 4. – 16. 5. 1943 dauerte der Warschauer Gettoaufstand gegen Wehrmacht und SS, die mit Geschützen und Flammenwerfern die aufständischen Juden bekämpften und sie in den Trümmern des Gettos besiegten. Die Juden kämpften bis zum Tod.

standen. Sie bemerkten nicht einmal, dass der Schmiersteher den Kopf ins Zimmer reckte und dann zurückkam.

»Richtig so, zeigt es den Herrenmenschen, dass auch in unseren Adern kein Wasser fließt«, schrie einer der Männer laut heraus und die anderen klatschten Beifall. Herz sagte: »Wir haben im Ersten Weltkrieg gezeigt, dass wir wie jeder andere zu kämpfen verstehen, nun zeigen wir es denen in Warschau noch einmal!«

Schließlich musste David gehen. Gerne wäre er noch geblieben. Die Stimmung der anderen war auch auf ihn übergesprungen. Die Mittagstunde aber rückte näher und mit ihr der Dienstbeginn im Kameradschaftsheim. Schnell verabschiedete er sich von den Invaliden und versprach, bald wieder vorbeizukommen und auch neue Zigarettenstummel mitzubringen. Er hastete die Treppen hinab und trat auf die Straße hinaus. Ein schöner Frühlingstag lachte ihm entgegen, froh war sein Gemüt, und so leicht wie lange nicht war ihm ums Herz. Er machte sich auf den Weg in das Heim, pfiff leise vor sich hin und bemerkte es nicht einmal. Erstaunt und fast böse starrten ihn die Menschen an, die ihm entgegenkamen, und schüttelten missbilligend die Köpfe.

An diesem Tag war für David ein wenig Hoffnung in das Getto gekommen.

Wie alles im Getto, so machte auch das Wissen vom Warschauer Aufstand schnell die Runde.

Die Meldung war so ungeheuerlich, dass viele sie nicht glauben wollten. Andere aber trugen in jenen Tagen die Köpfe höher und blickten nicht mehr zu Boden, wenn sie einem Uniformträger begegneten. Sicher, sie traten wie bisher auf die Straße, um wie befohlen Platz zu machen, und zogen wie immer ihre Mützen, aber sie blickten den anderen fest in die Augen und senkten den Blick nicht.

Es war Anfang Mai. David hatte wieder einmal einen arbeitsfreien Tag. Und weil das Wetter so warm und mild war, nahm er sich vor, die Kameraden aus dem Heim, die in den Jugendgärten in der Landwirtschaft arbeiteten und für den Gemüseanbau zuständig waren, zu besuchen. Die Jugendgärten lagen in den Festungswerken, die rings um das Getto angelegt waren. Das Gemüse war für die Bewacher des Gettos und ihre Familien bestimmt. Die Juden erhielten nur das, was gestohlen wurde und auf dem Schwarzmarkt getauscht wurde.

In der Landwirtschaft zu arbeiten war für viele Menschen des Gettos höchst erstrebenswert. Die Arbeit in der Natur, in Sonne und guter Luft war für sie der Inbegriff der Sommerfrische. Hinzu kam, dass der deutsche Leiter der Landwirtschaft seine Leute menschlich behandelte und sie, wo es nötig und irgendwie möglich war, vor den Übergriffen der SS schützte.

Auch die Jugendlichen des Gettos rissen sich

darum, in den Jugendgärten zwischen den romantischen Wällen arbeiten zu dürfen. Gelegentlich, wenn niemand von den Wachen zu sehen war, sonnten sie sich mit nacktem Oberkörper und ließen Arbeit Arbeit sein.

Als David zwischen den Wällen ankam, sah er die Kameraden aus dem Heim, wie sie auf den Knien liegend Gemüsepflanzen in den Boden setzten. Die Arbeit ging ihnen flott von der Hand und sie schien den Jungen Spaß zu machen.

David blieb am Feldrain stehen. Er wartete darauf, dass ihn die Jungen erkannten. Wie mit ihnen abgesprochen, hatte er für sie eine Tüte Zigarettenstummel mitgebracht.

Die Jungen waren so sehr in die Arbeit vertieft, dass sie David nicht sahen. Erst als es Mittag wurde und die Wache auf dem Festungswall mit der Trillerpfeife die Mittagspause auspfiff, bemerkten sie David und kamen mit Hallo auf ihn zu. Verstohlen steckte David ihnen die Kippen zu und wurde so herzlich umarmt, dass er sich zu schämen begann. So ein Trara für eine Tüte Kippen, dachte er und wusste doch, was der Tabak im Lager alles bewirken konnte.

Der tschechische Wächter kam herbeigeschlendert. Er hatte die Mütze in den Nacken geschoben und trug das Gewehr sehr lässig. Gutmütige Augen blickten aus einem wohlgenährten Gesicht. Sie schauten pfiffig, als er in gebrochenem Deutsch sagte: »Sieh dich vor, Jiddele, du weißt doch, wie sehr verboten es ist, im

Getto mit Tabak zu handeln. Das kann zum Transport führen!«

David erschrak. Woher weiß der Tscheche von dem Tabak? Der kann doch nicht in die Tüte sehen, dachte er und kam nicht darauf, dass der Gendarm mit seiner feinen Nase den Tabakduft geschnuppert hatte.

Einer der Burschen aus dem Heim, ein Junge aus dem Protektorat, sprach in der Landessprache mit dem Wächter. Bald lachten sie herzlich und dann zog der Tscheche wieder auf seinen Platz auf dem Wall. Dort setzte er sich ins Gras und legte das Gewehr neben sich.

»Mach dir keine Sorgen, der Morawetz ist nicht so. Der hat noch keinen von uns angeschissen. Er will seine Ruhe haben, sonst nichts«, sagte der Junge aus dem Protektorat und David war sehr erleichtert.

»Der drückt beide Augen zu, wenn wir Kartoffeln oder Ähnliches ins Getto schleusen«, beruhigte David ein anderer.

Die Essenträger kamen mit den Kübeln und teilten die Suppe und den Kanten Brot aus. Schnell und heißhungrig schlangen die jungen Feldarbeiter das Essen runter.

Dann klang schrill die Trillerpfeife des Postens und befahl erneute Arbeit. Im Laufschritt bewegten sich die Jungen auf das Feld und David verließ den Festungswall. Von einem Jugendgarten her, auf dem Mädchen und junge Frauen arbeiteten, hörte er ein melodisches Singen in einer fremden Sprache, die er nicht kannte. Der Gesang rührte ihn an, machte ihm das Herz schwer. Er stand eine kurze Weile und ging dann weiter zur Stadtmitte.

Dort, wo die Feldwege endeten und die gepflasterten Straßen begannen, kam David eine kleine Gruppe Kinder entgegen. Sie wurden von zwei Kinderschwestern begleitet. Als er sich auf gleicher Höhe mit der Gruppe befand, löste sich ein kleiner Junge aus der Gruppe und kam, winkend und rufend, auf David zugerannt. Der erkannte in dem Kind Jossele von Doktor Weinbergers Kinderstation.

»David, David«, jubelte der Kleine und reckte ihm die Arme entgegen. David nahm ihn auf und warf ihn ein paar Mal in die Luft, was Jossele mit freudigem Quietschen quittierte.

Doch da waren die Kinderschwestern schon neben ihm und rissen Jossele fort. Der Kleine begann zu weinen. Er wollte zurück zu David. »David, lieber David«, heulte er so durchdringend, dass die Schwestern ihm das Kind wieder überließen. Jossele schmiegte sich an ihn, hörte wie auf ein geheimes Kommando mit dem Weinen auf und fragte mit schmeichelnder Stimme: »Spiel doch mal wieder Kasperle, David, bitte, bitte!«

David strich ihm über die lockigen Haare. »Der Kasperle ist mit Doktor Weinberger fortgefahren. Er ist jetzt in einem anderen Getto und macht nun dort die Kinder froh!«

Jossele zog einen Flunsch. »Dann hol ihn doch einfach zurück, David«, verlangte der

Kleine so herrisch befehlend, dass die Kinderschwestern zu lachen begannen.

Und erst jetzt sah David, dass es hübsche
Mädchen waren. Besonders die Größere gefiel
ihm. Sein Herz begann zu hämmern, das Blut
stieg ihm ins Gesicht und er sah überdeutlich,
dass zwei schöne dunkle Augen ihn interessiert
betrachteten.

»Hübsche Grübchen hat die Kleine«, dachte
er, stellte Jossele auf den Boden zurück und
reichte den Mädchen die Hand. »Ich bin David«,
stellte er sich vor.

Die Mädchen kicherten. »Ich weiß«, sagte die
mit den Grübchen, »David, der Puppenspieler!«

Jossele drängte sich an Davids Beine. Als er
auch weiterhin unbeachtet blieb, boxte er ihm
energisch in den Bauch. Das brachte David auf
den Boden der Tatsachen zurück. »Du Quäl-
geist«, sagte er und nahm Jossele wieder auf den
Arm.

»Ich bin Vera und das ist Rifka. Wir arbeiten
im Kinderblock!«

David kam sich ungeschickt und linkisch vor.
Er wusste nicht, was er mit Vera sprechen sollte,
wollte sie aber auch nicht gehen lassen. So war er
dankbar, als sie das Gespräch an sich riss: »Wenn
du so gerne mit Puppen spielst, dann kannst du
das in unserem Heim tun. Wir haben eine Kiste
mit Puppen, und unseren Kindern macht es bestimmt viel Freude!«

Freudig sagte David zu. Die Kindergruppe
zog weiter. Jossele winkte David noch lange

130

nach und David winkte zurück, aber eigentlich winkte er dem Mädchen Vera zu.

An einem der nächsten Arbeitstage, als David Ordonnanzdienst im Kameradschaftsheim tat, hörte er zufällig, wie sich die Uniformierten über einen Gettobewohner unterhielten. Sie sprachen mit Achtung von dem Mann. David spitzte die Ohren, hielt sich aber in gebührender Entfernung. Es gelang ihm schließlich den Namen des Mannes aufzuschnappen.

»Dieser Doktor Loewenstein hätte es verdient, als Arier geboren zu sein«, hörte David, doch dann musste er in die Küche zum Gläserwaschen und konnte nichts mehr verstehen. Er bedauerte es und seine Neugier war geweckt. »Den Namen Loewenstein musst du dir merken«, dachte er und nahm sich vor, Josef Herz nach diesem Mann zu fragen, von dem selbst die SS mit Achtung sprach.

Schon zwei Tage später stieg David die steile Treppe zum Dachboden der Kriegsbeschädigten hinauf. Er wurde von den Alten mit viel Hallo, Schulterklopfen und freudigen Blicken begrüßt. David packte auf den Tisch, was er mitgebracht hatte, und sonnte sich in der Dankbarkeit der Alten. Sobald sich die Gelegenheit ergab, fragte er Herz nach Doktor Loewenstein.

Der Zufall wollte, dass Josef Herz den Mann kannte. »Tja«, sagte er und machte eine Pause um die Spannung zu erhöhen, »dann will ich dir mal die Geschichte des Mannes erzählen!«

Auch die Alten waren aufmerksam geworden, und weil alles, was auch nur im Geringsten nach Abwechslung aussah, mit Begeisterung aufgenommen wurde, umlagerten die Männer Josef Herz und David. Herz begann mit seinem Bericht: »Also, dieser Doktor Karl Loewenstein wurde vor vielleicht fünfzig Jahren oder mehr geboren. Der Vater war Jude, die Mutter Christin. Im kaiserlichen Deutschland wurde er bald zum Offizier befördert, war an der Niederschlagung des Aufstandes von Samoa beteiligt und ...«, hier wurde der Erzähler unterbrochen. Einer der Alten fragte: »Und wo liegt dieses Samoa?«

Die Männer grübelten, kamen aber zu keinem Ergebnis. Nun erst sagte David: »Ich glaube, das liegt in der Südsee und war eine Kolonie des deutschen Kaiserreiches!«

Josef Herz nahm den unterbrochenen Bericht wieder auf: »Als Seeoffizier kämpfte er im Weltkrieg auf allen Meeren und war mit dem deutschen Kronprinzen über viele Jahre hinweg befreundet. Im Jahre 1941 wurde er von der Gestapo als Angehöriger der evangelischen Bekenntniskirche verhaftet und in das Getto Minsk abgeschoben. Hier erlebte er ein halbes Jahr entsetzliches Grauen. Durch die Intervention verschiedenster Persönlichkeiten kam er in unser Getto. In Minsk hatten sie ihn so sehr misshandelt, dass sein Gesundheitszustand beklagenswert war, als er hier eintraf. Man wusste nicht so recht, was man mit diesem Mann, den der Kron-

132

prinz ›Freund‹ genannt hatte, beginnen sollte. So kam von der Kommandantur der Befehl ihn in Einzelhaft zu nehmen. Er erhielt eine Zelle, die recht gut ausgestattet war, und wurde mit Prominentenkost verpflegt!«

»Und was weiter?«, fragte David.

»Nichts weiter! In dieser Prominentenzelle sitzt er immer noch. Ich jedenfalls weiß nichts anderes!«

David war enttäuscht. »Und warum, so frage ich, macht die SS so ein Aufhebens von dem Mann?«

Herz zog die Schultern hoch: »Er war Offizier, hatte hohe Auszeichnungen und war der . . .«

». . . Freund des Kronprinzen, ich weiß«, unterbrach David. »Ich habe mir mehr vorgestellt!« Nach einer Weile fügte er abschließend hinzu: »Was ist das für ein Mensch, der es zulässt, dass sein Freund ins Getto verfrachtet wird? Freund nennt der sich, ein mieser Nebbich ist er in meinen Augen!«

Die Alten puhlten schon wieder die mitgebrachten Zigarettenkippen auseinander und häuften den gewonnenen Tabak in der Mitte des Tisches auf. David nahm Josef Herz zur Seite. »Kannst du ein Geheimnis für dich behalten?«, fragte er.

»Klar«, erwiderte er und schon überschlug sich David fast mit der Geschichte vom Kennenlernen des Mädchens Vera. Herz sah die Freude in den Augen des Jungen und erkannte, dass David bis in die Zehenspitzen verliebt war.

»Schön für dich, Junge, aber nun musst du herauskriegen, ob die Vera dich auch so sehr mag wie du sie!«

David schien sich sicher zu sein. Er warf sich in die Brust, lächelte und erklärte: »Sie wird schon, dessen bin ich mir sicher!«

Josef Herz brachte David zum Treppenhaus und verabschiedete ihn mit den Worten: »Komm bald wieder vorbei, und wenn es nur für kurze Zeit ist. Du bringst uns Leben in die Mansarde!«

David stieg die Treppe hinab. Nach wenigen Stufen drehte er sich noch einmal um und rief: »Wir bekommen in einigen Tagen Geld, eigenes Geld, Josef! Gettokronen! Bald sind wir Millionäre!« Er lachte zu Josef Herz hinauf und der lachte zurück.

Sobald es seine Freizeit erlaubte, machte sich David auf den Weg in den Kinderblock. Er lag in der Nähe des Stadtparks und war vom Jugendheim nach kurzem Fußweg zu erreichen.

David hatte sich ordentlich herausgeputzt, so sehr, dass die Kameraden aufmerksam wurden und ihn aufzogen. Ihn kümmerte es wenig, er richtete seine Kleidung und schließlich versuchte er seinen Schuhen durch eine Margarineschmierung Glanz zu verleihen.

Als der Heimleiter vorbeikam und es bemerkte, gab es ein Donnerwetter. »Du hast wohl über deiner satt machenden Arbeit im Kameradschaftsheim vergessen, wie viele alte Menschen hier hungers sterben«, sagte er abschließend. »Denk mal darüber nach!«

David erkannte sofort, dass er einen Fehler begangen hatte, und versteckte die Schuhe hinter dem Rücken. Der Heimleiter sah es und sein Zorn verrauchte. »Mach das nie wieder, Rosen«, sagte er und ging weiter.

David zog die Schuhe an. Der stumpfe Glanz des Leders erinnerte ihn an den begangenen Fehler. Ihm schien, als würden alle Jungen in der Unterkunft nur auf seine Schuhe starren. So machte er sich sehr schnell auf den Weg.

Nach einigen Minuten erreichte er den Kinderblock in der Nähe der Bergstraße. Im Innenhof des Blocks befand sich ein kleiner Sandspielplatz, der nur wenigen Kindern erlaubte ihren Spielen nachzugehen. Aus dem Erdgeschoss scholl das helle Kreischen vieler Kinderstimmen und wies David den Weg. Schon bald war er umringt von den Kleinen, die den Besuch bestaunten, sich an ihn hängten und nicht mehr loslassen wollten.

Er fragte eine Kinderschwester, die ihn aufzuhalten versuchte, nach Vera. Sie musterte ihn eingehend und sagte dann: »Die findest du in der ersten Etage in der Gruppe C. Hier, die Treppe musst du rauf!«

David dankte ihr für die Auskunft und löste mit sanfter Gewalt die an seiner Hose hängenden Kinder. Kaum war er in der oberen Etage, da lief ihm Vera schon über den Weg. Ihm stieg das Blut mächtig ins Gesicht und sein Herz begann heftig zu schlagen. Er stand reglos vor Vera und wusste nicht, was er sagen sollte.

Auch das Mädchen war verlegen, fasste sich aber recht schnell und sagte einladend: »Schön, dass du gekommen bist, David! Jossele hat das ganze Haus schon in Aufregung versetzt mit der Ankündigung, dass der Kasperle kommen würde!«

»Und nun bin ich da«, rang sich David mühsam ab. Ihm war der Kopf wirr und es summte in ihm wie in einem Bienenkorb. Er reichte Vera die Hand. Die zögerte ein wenig, nahm sie dann aber und schüttelte sie heftig. So standen sich die zwei gegenüber. »Ja, nun bist du da«, erwiderte Vera nach einiger Zeit und ergänzte: »Dann komm mal herein!«

Kaum eine Stunde später lagen die Puppen spielbereit hinter der Decke, die David in einer Türöffnung befestigt hatte. Und im Schlafsaal drängten sich die Kinder auf den Betten und am Boden. Mit großen, erwartungsfrohen Augen starrten sie auf die Decke, als seien hinter ihr alle Freuden der Erde verborgen.

David begann sein Spiel. Nach den ersten leisen Tönen der Glocke wurde es so still im Saal, dass David glaubte die Stille greifen zu können. Hinter seiner Decke fühlte er sich sicher und begann ohne Hemmungen mit seinem Spiel. Er ließ den Kasperle seine Späße treiben, forderte die Kinder auf ein Lied zu singen und begann schließlich das einfache Spiel. Vera beflügelte seine Fantasie.

Da war im Lande Irgendwo ein böser Drache, der alle Bewohner des Landes in einer riesigen Höhle gefangen hielt und sie hungern ließ. Als Kasperle in das Land kam, hörte er, dass der König dem seine Tochter zur Frau geben wolle, der das Land vom Drachen befreie. Und da dem Kasperle die Königstochter gut gefällt, kämpft er gegen den Drachen und besiegt ihn. Der König ist erfreut und führt ihm die Prinzessin zu. Alle sind glücklich und zufrieden.

In der letzten Szene des Spieles kam David ein Gedanke. Er zog die Sicherheitsnadel aus dem gelben Stern an seinem Hemd und gab ihn Vera, die den König führte. Die ahnte, was David wollte, und brachte den König, der den Stern vor sich hertrug, auf die Spielleiste. Und dann klangen die Schlussworte des Königs in den Ohren der Kinder, die mit hochroten Köpfchen wie verzaubert lauschten: »Weil du die Menschen von dem bösen Drachen befreit hast, Kasperle, bekommst du von mir den höchsten Orden, den ich als König zu vergeben habe, den großen Mazzeorden!«

Vera prustete ihr Lachen heraus, ließ aber die Puppe auf der Spielleiste. Sie heftete dem Kasperle den Stern an und stach so fest zu, dass die Nadel in Davids Hand eindrang. Das aber tat der Spielfreude keinen Abbruch. Er spielte bis zum Schluss, ließ Kasperles Zipfelmütze kreisen und sang fröhlich:

»Der Drach ist tot, der Drach ist tot, nun ist vorbei die große Not!«

Begeistert jubelten die Kinder, trampelten auf den Fußboden und klatschten Beifall.

Jossele kam angestürmt, riss beinahe die Decke herab und drückte David so fest an sich, dass dem fast die Luft wegblieb. »David, lieber David«, jauchzte er, »das war wunderschön!« Und als er bettelte noch zu bleiben, signalisierten Veras Augen Zustimmung.

David sah sich um im Kinderblock und staunte, wie sauber es hier war. Bunt bezogen waren die Betten, die Wände trugen farbenfrohe Bilder, Märchenszenen und südliche Landschaften. Vera brachte David bis hinaus auf die Straße. Als sie ihm die Hand zum Abschied reichte, sagte sie: »Ich muss dir danken, David. Du hast den Kindern einen Tag bereitet, den sie so schnell nicht vergessen werden!«

Da fasste David Mut und fragte: »Darf ich dich wieder sehen, Vera? Ich glaube, ich habe mich in dich verliebt!«

Sie wurde rot bis unter die Haarwurzeln, strich sich verlegen eine Locke aus der Stirn und erwiderte leise: »Wenn du magst, David! Du bist immer herzlich gern gesehen!«

Seit vielen Wochen war immer wieder davon gemunkelt worden, dass es eine ganz neue Berechnung der Arbeitsleistung geben würde.

Schon im September 1942 waren von den im Getto eingesperrten Zeichnern Heilbronn und Kien Entwürfe für das Gettogeld hergestellt worden. Auf den Geldscheinen waren jüdische

Symbole zu sehen. Als dann aber die Geldscheine in Umlauf kamen, zeigten sie ein Zerrbild des Moses, mit krummer Nase und Schläfenlocken. Er wies auf die Gesetzestafeln hin, die er im Arm hielt. Offiziell herausgegeben war das Gettogeld vom Ältesten der Juden und trug die Unterschrift Jakob Edelsteins. In verschiedenen Größen und Farben waren die Geldscheine im Wert zwischen einer Krone und hundert Kronen gedruckt worden.

Gleich nach der Einführung des Geldes sollte nach einer neu ausgearbeiteten Lohnskala die Auszahlung an die arbeitenden Gettobewohner auf Konten erfolgen, die bei einer neuen Bank eingerichtet wurden. Auch für die alten und nicht arbeitenden Bewohner war ein monatliches Taschengeld vorgesehen.

Von dieser Bezahlung wurden die Kosten abgezogen, die für ärztliche Versorgung, Wohnung und Verpflegung sowie für die Verwaltung des Gettos entstanden. Ein paar Kronen erhielt jeder als Taschengeld. Von diesem Geld sollten die kleinen alltäglichen Bedürfnisse wie Seife und Zahnpulver und andere Bedarfsartikel gekauft werden.

Hoffnung machte sich unter den Gettoinsassen breit. Geld in die Hände zu bekommen, für eine bestimmte Arbeit eine bestimmte Summe, für die es möglich sein würde, einzukaufen, das war schon etwas Normalität. In einigen Köpfen setzte sich der Gedanke fest, dies sei die Wende in der Judenpolitik der Nationalsozialisten.

An dem Tag im Mai, als die Gettokronen in Umlauf gebracht wurden, zogen die Arbeiter die letzten verschönernden Pinselstriche an der Fassade der neu gegründeten Bank der jüdischen Selbstverwaltung. Sie war in der Rathausstraße im ehemaligen Rathaus untergebracht und recht vornehm eingerichtet.

Die Passanten vor der neuen Bankfassade staunten und blieben stehen. Viele glaubten ihren Augen nicht zu trauen. Andere wieder freuten sich über die neue Einrichtung.

»Ihr werdet sehen, bald haben die Nazis eingesehen, dass sie ohne uns den Krieg verlieren, dass sie die Juden und das jüdische Geld brauchen, und werden uns bitten ihnen den Krieg gewinnen zu helfen!«

»Hört nur den Meschuggenen. Verrückt ist er. Die ziehen ein neues Spiel mit uns ab. Habt ihr vergessen, dass immer noch Transporte nach Polen abgehen? Ihr flüchtet euch in eine Scheinwelt, Leute, wenn ihr diesem Trug Glauben schenkt!«

So und ähnlich hörte man Rede und Gegenrede vor der neuen Bank. Jeder aber, der vorüberkam, konnte seine staunenden Blicke einfach nicht abwenden.

Auch David kam an dem Abend, als die Bank zum ersten Mal die Schalter geöffnet hielt, mit Vera auf einem Abendspaziergang an dem Gebäude vorüber. Er hatte schon vor zwei Tagen das erste Taschengeld durch den Heimleiter bar ausgezahlt bekommen. Zwanzig Kronen hatte er in Einkronenscheinen bekommen. Er trug sie in der Hosentasche mit sich, zog sie nun heraus und sagte zu Vera: »Ich glaube, dass alles nur Nepp ist. Taschengeld zum Einkaufen für die kleinen Dinge des täglichen Lebens! Quark ist das, oder hast du schon irgendwo im Getto ein Geschäft gesehen, in dem es für die neuen Kronen etwas zu kaufen gibt? Ich nicht und niemand anders in diesem verfluchten Theresienstadt!«

Vera hängte sich bei David ein, schmiegte sich an ihn. »Komm«, sagte sie, »gehen wir ein wenig auf den Wall. Es muss schön sein, bei diesem Wetter im Gras zu liegen, den Wolken nachzusehen und zu träumen!«

David besann sich kurz, dann sagte er: »Gehen wir und nutzen die Zeit bis zum Sonnenuntergang!«

Kaum eine Woche war seit der Einführung des Gettogeldes vergangen, da verlangte die Kommandantur von den jüdischen Behörden die Einrichtung von Geschäften. Sie sollten in ehemaligen Läden untergebracht werden und mit Auslagen und Firmenschildern funktionierende Geschäfte vorgaukeln.

Das war ein Befehl der SS, den die jüdische Verwaltung nur schwer realisieren konnte. Durch die vielen tausend alten Menschen, die in jenen Tagen im Getto ankamen, waren auch die Geschäfte zu Notunterkünften geworden. Nun mussten die alten Leute auf die Schnelle diese Massenquartiere wieder verlassen. Eilig wurden die Läden geweißt, Firmenschilder gemalt und Ladeneinrichtungen gezimmert. Die Tischler und Maler mussten Überstunden leisten. Ihnen wurden Sonderrationen Brot bewilligt.

Händeringend suchten die jüdischen Behörden nach Personal für die Läden, die auch schon einen Namen erhalten hatten. Sie wurden Verschleißstellen genannt.

Ware wurde herangeschafft. Es handelte sich um die Nachlässe Verstorbener, um minderwertige Waren aus beschlagnahmten Paketen oder Transportgepäck. Es gab aber auch Dinge, die von den Beschaffungsstellen für diese Läden gekauft worden waren, um den Anschein eines funktionierenden Geschäftslebens zu wahren.

Zunächst wurden acht Läden eröffnet. Laut Ankündigung der Firmenschilder sollte in ihnen Herren- und Damenbekleidung, Parfüm und Kosmetik, Lebensmittel, Schuhe und Bijouteriewaren verkauft werden. In den Auslagen stapelten sich die Waren und täuschten so für jedermann Überfluss und normales städtisches Leben vor.

Nach dem ersten Ansturm der Käufer waren die Läden leergekauft. Die Gettokronen waren wieder das, als was sie wohl gedruckt worden waren: Scheingeld. Nur die gut sortierten Auslagen in den Schaufenstern täuschten Vorrat vor.

Gelegentlich aber gab es auf Bezugschein dieses oder jenes zu kaufen, und mancher Gettobewohner, der einen Bezugschein für eine Hose oder ein Kleid erhielt und nun nach einem pas-

142

senden Kleidungsstück suchte, fand ein solches und musste erkennen, dass es sich um sein Eigentum handelte, das auf dem Transport »verloren gegangen« war. Nun musste er dafür seinen Bezugschein hergeben und auch noch bezahlen.

Besonders aufreizend wirkte auf die schlecht ernährten Menschen die Fleischerei. Ein großes Firmenschild wies auf dieses Unternehmen hin. Rindsköpfe und Würste waren auf ihm abgebildet. Vor den dicken Würsten und riesigen Fleischstücken in der Auslage standen die Menschen und drückten sich mit knurrendem Magen die Nasen an den Scheiben platt. Leider gab es in dieser Fleischerei nichts zu kaufen. Die Ware war nur für die Küchen des Gettos bestimmt. Auch die Apotheke durfte nicht betreten werden. Von ihr wurden nur Ärzte und Krankenhäuser beliefert.

Außer diesen Verschleißstellen wurden einige Werkstätten eingerichtet. So gab es eine optische Werkstatt, mehrere Friseure und sogar einen Uhrmacher, der aber niemals etwas zu tun hatte, denn es gab im Getto kaum einen Juden, der seine Uhr durch die Schleuse schmuggeln konnte.

Schon in den ersten Tagen nach der Eröffnung der Geschäfte wussten die Gerüchte, warum diese potemkinschen Läden entstanden waren: Eine Kommission sollte das Getto besuchen.

Das Gerücht vom Besuch der Kommission war faul. Die Gettobewohner warteten vergeblich.

Wohl aber kamen im Mai einige hohe SS-Offiziere aus Berlin. Sie waren in Begleitung von mehreren Schriftleitern und anderen Pressevertretern.

Die Offiziere, meist hoch gewachsen und schlank, überragten die Gruppe der Besucher. Abgeschirmt durch die tschechischen Gendarmen besichtigten sie zu Fuß das Getto. Von der Kommandantur war den Männern der jüdischen Selbstverwaltung vorgegeben, welche Objekte den Journalisten gezeigt werden durften. Peinlich genau hielten sich die Funktionäre daran, denn sie wussten, dass jede Panne mit harten Strafen geahndet wurde.

Schon bald setzten sich die Offiziere von den Presseleuten ab.

Sie waren eingeladen im Kameradschaftsheim einen Umtrunk zu nehmen. Der Kommandant, Hauptsturmführer Seidl, hatte die Kameraden aus der Reichshauptstadt herzlich zu diesem Umtrunk gebeten.

Zuerst führten die Funktionäre die Zeitungsleute durch die Straßen, wiesen sie auf die üppigen Auslagen der Geschäfte hin und erklärten, dass diese Waren käuflich seien. Allerdings müsse für Kleidung, wie überall im Reich und den angegliederten Ländern, ein Bezugschein vorhanden sein. Die Presseleute staunten über die Auslagen, machten sich eifrig Notizen und wurden schon wieder weitergereicht, bevor jemand auf den Gedanken kommen konnte in eines der Geschäfte eintreten zu wollen.

In den mahagonigetäfelten Räumen der Bank, die sehr vornehm wirkte, sahen sich die Herren aus der Reichshauptstadt staunend um und wunderten sich sehr, als sie Juden vor den Schaltern sahen, die Geld einzahlten oder von ihrem Konto holten. Sie ahnten nicht, dass sie einer perfekten Inszenierung aufgesessen waren.

Zum Schluss der Besichtigung führte man die Besucher noch zu einer Gerichtsverhandlung. Auch hier war ein Schauspiel inszeniert, das jedem professionellen Theater Ehre gemacht hätte. Dieses Gettogericht gab es wirklich, nur tagte es nicht so aufwändig wie zu den »Besucherprozessen«.

Still setzten sich die Pressemänner auf die Besucherbank. Interessiert lauschten sie dem Prozess, der gerade begonnen hatte und der in Deutsch, der amtlichen Lagersprache, geführt wurde.

Verhandelt wurde vor dem Einzelrichter der Diebstahl von fünfzig Gettokronen.

Rechts neben dem Richter saß der Anklagevertreter und links von ihm der Protokollführer. Der Angeklagte, ein kleines Männlein mit Bart und starker Brille, wurde von einem Anwalt verteidigt.

Der Anklagevertreter verlas die Anklage: »Der Angeklagte, Miroslaw Kancek, wird beschuldigt, seinem Zimmerkameraden, Igor Meir, fünfzig Gettokronen entwendet zu haben, indem er sie dem genannten Meir aus der Innentasche der Jacke nahm und für sich verbrauchte.

145

Beobachtet wurde der Beschuldigte bei seiner Tat von dem Zeugen Leib Aronsohn, der als Zeuge geladen wurde und auf seine Vernehmung vor dem Amtszimmer dieses Gerichtes wartet!«

Der Beschuldigte Kancek stand wie der leibhaftige arme Sünder vor dem Richtertisch. Nun nahm der Richter das Wort. Er fragte: »Sie sind der Scherenschleifer Miroslaw Kancek aus dem Flecken Bratsk in der Slowakei. Sie sind zweiundfünfzig Jahre alt und leben in der Unterkunft Nummer 3 in B IV, auch Hannover-Kaserne genannt. Stimmt das, Angeklagter?«

Kancek nickte nur betroffen und gleich fuhr der Ankläger dazwischen: »Sie haben hier klar mit Ja oder Nein zu antworten, und wenn Sie nicht in der Lage sind sprachlich der Verhandlung zu folgen, so sagen Sie dies und Sie bekommen einen Dolmetscher gestellt!«

»Ich versteh schon, doch kann ich nur schlecht reden! Bin ich Miroslaw Kancek, bin ich zweiundfünfzig Jahre und war ich, bevor ich kam in Getto, Scherenschleifer und Kesselflicker!«

Als die Sprache auf den Diebstahl kam, verstand Miroslaw mit einem Mal nicht mehr so recht. Man ließ einen Dolmetscher kommen. Das bereitete keine Schwierigkeiten, denn die meisten Gettobewohner waren mehrsprachig.

»Das Geld hat ihn gereizt, das neue Geld mit dem Bild von Moses und den Gesetzestafeln. Er hat nicht widerstehen können, sagt er!«

Der Anklagevertreter sprang auf, spielte Erre-

146

gung: »Wissen Sie nicht, Angeklagter, was die Schrift sagt über den Diebstahl?«

Der Dolmetscher übersetzte. Miroslaw Kancek senkte den Kopf und sagte leise in deutscher Sprache: »Stehlen verboten!«

Die Pressemenschen grinsten hinter vorgehaltener Hand. Eifrig schrieben sie mit und wunderten sich, was für ein Aufheben um diesen Diebstahl gemacht wurde.

Der Ankläger stellte nun seinen Strafantrag. Er verlangte, Miroslaw eine Woche lang in Haft zu nehmen.

Der Richter aber hatte sein Urteil bereits vorgegeben bekommen. Damit die Zeitungsschreiber erfahren sollten, wie sozial das Gericht entschied, war das Urteil dahingehend ausgefallen, dass Kancek drei Wochen lang für Ordnung und Sauberkeit in seiner Ubikation zu sorgen hatte. »Dem Geschädigten, den wir als Zeugen nicht hören mussten, weil der Angeklagte voll geständig war, ist der entstandene Schaden wieder gutzumachen. Der Angeklagte hat ihm für die entwendeten fünfzig Kronen einhundert Kronen zu erstatten! Die Verhandlung ist geschlossen!«

Laut und erregt durcheinander redend schritten die Herren aus Berlin dem Ausgang zu. »Für mich steht außer Zweifel, was ich berichten werde«, sagte einer der Herren, der eine große Zeitung vertrat, »hier ist alles stinknormal. Eine Stadt, nur für die Juden. Man sollte mehr davon einrichten!«

David bediente den Besuch aus Berlin mit aller Höflichkeit, die er aufbringen konnte. Stramm stand er in Rufweite, hielt die weiß behandschuhten Hände auf dem Rücken verschränkt und war jedes Winkes gewärtig. Äußerlich war er ruhig, tief drin aber beherrschte ihn die Angst einen Fehler zu machen, aufzufallen und damit für diese Arbeit auszuscheiden. Er wusste von anderen, was dann geschehen war. Sie waren auf Transport geschickt worden in eine ungewisse Zukunft.

Hauptsturmführer Seidl schnippte mit den Fingern. Das war das Zeichen dafür, dass wieder einmal eine Flasche geleert war und eine neue serviert werden musste. David brachte den französischen Cognac, hielt ihn in einer Serviette mit dem Etikett den Gästen hin. Seidl schnalzte mit der Zunge und befahl David durch einen Blick einzuschenken. Kerzengerade, so, als habe er einen Stock verschluckt, die linke Hand auf dem Rücken haltend füllte er die Gläser.

Halb trunken erhob sich der ranghöchste der Offiziere. »Kameraden, lasst uns trinken auf den Sieg der deutschen Waffen! Wir kämpfen einen heiligen Kampf gegen die bolschewistischen und jüdischen Untermenschen. Ihn zu gewinnen ist unsere heilige Pflicht, die wir vor der Vorsehung und unserem geliebten Führer Adolf Hitler haben!«

Bei der Namensnennung erhoben sich die Uniformierten, reckten den rechten Arm hoch und einer röhrte: »Unserem geliebten Führer Adolf Hitler ein dreifaches Sieg Heil!«

»Sieg Heil, Sieg Heil, Sieg Heil«, echoten die anderen und leerten auf das Wohl des Herrn Hitler die Cognacgläser bis zur Neige.

David zog sich auf seinen Platz zurück, verschränkte die Hände vorschriftsmäßig auf dem Rücken und stand wie angenagelt.

Er hörte, wie Seidl über die Massentransporte klagte, die in Theresienstadt ankamen und das Getto so überfüllten, dass selbst die Kasematten der Festung, die nur für Lagerung geeignet waren, für die Unterbringung der Neuankommenden herhalten mussten.

Der Vorgesetzte aus Berlin beruhigte ihn: »Es wird sich bald ändern. Sie wissen, Herr Kamerad, was bei der Berliner Konferenz besprochen wurde! Bald werden wir Ihnen eine Menge der Krummnasen abnehmen. Der Führer selbst hat den Kamerad Eichmann beauftragt eine Lösung zu finden, die dem Problem gerecht wird. Seien Sie gewiss, Kamerad Seidl, die Uhren Ihrer Schützlinge«, hier machte der Offizier eine Pause und grinste breit, »sind bald abgelaufen!«

IV

Sooft es Vera und David möglich war, trafen sie
sich, um zusammen zu sein, auch wenn es nur
kurz war.

David hatte mit Vera abgesprochen jede kulturelle Möglichkeit auszunutzen, die ihnen das
Getto bot.

So waren die zwei nun auf dem Weg zu den
»Lagerdichtern«, die sich einmal in der Woche
trafen. Namhafte Schriftsteller deutscher und
tschechischer Sprache förderten die Talente, die
sich hier kristallisierten.

Vor dem tschechischen Jugendheim blieben
sie stehen und warteten. Sie wollten sehen, wer
das Haus betrat. Es dauerte nicht lange und es
kamen erste Besucher in das Haus. Auch junge
Menschen waren darunter und so gaben sich die
Zögernden einen Ruck und gingen auch hinein.
Im Flur wies ein Schild in Deutsch und Tschechisch den Weg zu den Dichtern. Vera sah, dass
David zauderte, stieß ihm ihren Ellbogen in die
Seite und sagte: »Jetzt sind wir schon hier, nun
wird nicht gekniffen!«

David fügte sich.

In einem Kellerraum waren ein paar roh gezimmerte Tische und Bänke aufgestellt. Vielleicht zehn Menschen saßen schon dort und
warteten. »Ahoj«, grüßte Vera und David

schloss sich ihr mit demselben tschechischen
Gruß an.

»Ahoj«, grüßten die anderen zurück, erkannten wohl, dass es Neue waren, die an der Tür ver-
harrten, und luden sie ein sich zu setzen.
»Fleischmann wird heute die Stunde halten. Da
kann man verdammt viel lernen! Er ist ein Kön-
ner, dieser Arzt aus Budweis!«

Und dann kam er, der Arzt, der auch ein
Dichter war. Kluge Augen blickten kurzsichtig
gütig hinter dicken Gläsern, und als er die
Neuen sah, ging er auf sie zu und schüttelte ihnen die Hände. »Ihr habt hoffentlich was Eigenes mitgebracht? Wir sind immer neugierig auf
das, was die geschrieben haben, die neu in unseren Kreis kommen!«

Vera wehrte ab. »Ich bin nur mit meinem
Freund da. Der dichtet, ich selbst habe dafür
kein Talent!«

»Das soll man nie sagen«, meinte eine junge
Frau, die mit ihrem Kleinkind gekommen war.
»Ich habe auch nicht geglaubt, dass so was in mir
steckt, aber eines Nachts kam es heraus. Und das
ist gut so, man wird innerlich freier, auch wenn
man gettoisiert ist!«

Fleischmann nahm das Kleinkind auf den
Arm und fragte: »Hast du etwas Neues geschrieben, Ilse?«

Ilse zierte sich nicht, sie zog einen Fetzen Papier hervor, hielt ihn dicht unter die Augen,
denn es brannte nur eine schwache Lampe, und
las:

151

»Transport
Durch die Stadt zieht ein Zug von müden Alten,
schwer beladene, gebeugte Gestalten,
zur Bahnstation.
Mit Augen, die vor Tränen nichts sehen,
mit Füßen, die nur mit Schmerzen gehen,
so gehn sie dahin.
Von den Kindern gerissen, aufs Neue vertrieben,
des Letzten beraubt, was ihnen geblieben,
so schreiten sie stumm.
In ihrem Herzen, zermürbt vor Grauen,
klingt verzweifelt auf des Ewigen Namen,
ein klagendes Warum?«*

Ilse schwieg, strich sich über die Stirn und sah
die Zuhörer an. Fleischmann reichte ihr das
Kind hin, sie nahm es auf den Schoß und herzte
es. »Du hast die Stimmung genau eingefangen,
Ilse. Die Arbeit ist dir gut gelungen. Doch darauf
kommt es nicht so sehr an. Wichtig für uns alle
ist es, uns dieses Elend, die Sorge, die immer ge-
genwärtige Angst vom Herzen zu schreiben!«
Er ging auf David zu: »Und du, junger Freund?
Was hast du uns mitgebracht?«
   David zierte sich, raffte sich dann aber auf und
zog das Blatt Papier hervor. »Ich habe nur etwas . . .«
   »Nicht entschuldigen, lesen . . .«, unterbrach

* Ilse Weber war im Getto zwei Jahre als Krankenschwes-
ter tätig. Im Herbst 1944 wurde sie mit ihrem Kind nach
Auschwitz ins Gas geschickt.

Fleischmann und lächelte ermunternd. David las:

> »Unsere Seele
> ist zerbrochen
> an der Lieblosigkeit
> der Welt
> und der Einsamkeit
> unserer Herzen.«

Er schwieg und atmete schwer, wartete auf die Reaktionen der Zuhörer. Fleischmann schaute ihm in die Augen. »Du hast noch mehr dabei? Wie ist dein Name, du hast ihn mir bisher nicht gesagt!«

»David Rosen«, erwiderte der Junge und fügte hinzu: »Ich habe noch ein Gedicht von mir dabei!«

»Dann lies es vor. Du siehst doch, dass alle schon neugierig sind!« Fleischmann machte ihm durch seine Worte Mut. David las:

> »Die Angst hat keinen Namen.
> Sie ist in den Augen,
> sie flattert im Herzen
> wie ein Vogel im Käfig.
> Sie sitzt im Nacken und schreit,
> so sehr, dass der Boden wankt.
> Mein Schritt ist stolpernd.
> Die Angst ist meine Schwester –
> ich bin nicht mehr allein!«

David schrak hoch, als leichter Beifall aufkam. Auch Fleischmann rührte die Hände und sagte: »Du hast Talent, David Rosen, mach so weiter. Halte fest, was dich bewegt. Es ist wichtig, dass die Gedanken, die hier gedacht werden, nicht verloren gehen!«

David errötete bis hinter die Ohren, aber der Glanz in seinen Augen zeigte, wie gut ihm das Lob bekam. Und als Vera seine Hand nahm und sie fest drückte, da war er beinahe glücklich.

Eine halbe Stunde vor Beginn der Nachtruhe verließ der Dichterkreis den Keller. Vera nahm das Blatt, auf dem Davids Gedichte geschrieben waren, an sich und reichte es dem Freund. »Was ist das für ein Brief, auf dem du das Gedicht geschrieben hast?«, fragte sie. David nahm den Bogen, warf nur einen Blick darauf und erwiderte: »Ich hatte ihn an Bekannte in meiner Heimat geschickt. Die Zensur ließ ihn nicht durch. Ich hatte mich verzählt und anstelle der erlaubten dreißig Worte einunddreißig geschrieben. Und weil ich kein anderes Papier zur Hand hatte, schrieb ich die Gedichte auf die freien Stellen des Briefes!«

Vera küsste David an jenem Abend zum ersten Mal.

Im Jugendheim trieb der Heimleiter zur Eile. Die Nachtruhe musste eingehalten werden.

Im Sommer des dreiundvierziger Jahres schien es, als würde sich vieles zum Besseren wenden. Hoffnung zog in die Herzen der Menschen ein, machte sie herzlicher und brachte sie dazu, besser und schneller zu arbeiten. Und da in Theresienstadt fast alles hergestellt oder erzeugt wurde, was eine Stadt benötigt, kam die Besserung der Arbeitsmoral allen Eingesperrten zugute.

Die Küchen brachten schmackhaftere und gehaltvollere Speisen zur Ausgabe. Einmal in der Woche gab es böhmische Buchteln, Hefeknödel, die den entwöhnten Menschen wie der Höhepunkt lukullischen Genusses vorkamen.

Man machte sich daran, der Stadt ein besseres Aussehen zu geben, werkelte und putzte selbst in den Freistunden. Vieles geschah freiwillig, man wollte in einer menschenwürdigen Umgebung leben. Doch das war, im Ganzen gesehen, eine wahre Sisyphusarbeit.

Die letzten Bewohner aus der »arischen Stadt« mussten ihre Heimat verlassen. Ihnen wurden die Grundstücke abgekauft, ob sie nun wollten oder nicht. Sie konnten sich gegen den Zwangsverkauf nicht wehren. Bezahlt wurde der Ankauf von arischem Besitz mit dem Geld der Juden. Nach dem Fortzug der Tschechen wurden die Häuser für die Unterbringung der Gettoisierten frei. Meist waren auch dies alte, verwohnte Bauten, oft ohne Wasseranschluss und mit Latrinen auf dem Hof.

Der Ulk vom Mazzeorden, den David in seinem Puppenspiel Kasperle in den Mund gelegt hatte, machte überall in Theresienstadt die Runde. Besonders bei der spöttelnden Jugend war der Begriff beliebt und verbreitet.

Vom Sommer an wurde aus dem Getto das Jüdische Siedlungsgebiet. Im Bauschowitzer Kessel entstanden die Süd-Baracken. Auch sie waren durch den Arbeitseinsatz der Häftlinge gebaut worden. In ihnen brachte man Produktionsbetriebe unter, die bisher in den West-Baracken bei der Sokolhalle gearbeitet hatten. Die frei gewordenen Baracken wurden sofort als Unterkünfte genutzt. Da aber ununterbrochen massenhaft neue Transporte aus allen Teilen des Deutschen Reiches und den besetzten Gebieten ankamen, waren auch diese Baracken bald wieder überbelegt. Die Menschen lagen auf dem nackten Boden, denn die Schreiner kamen mit dem Bau der primitiven Betten nicht nach.

Kleinere Erfolge konnten die Männer der jüdischen Selbstverwaltung den Herren der SS melden. Sechzig Prozent aller Unterkünfte besaßen nun Wasseranschlüsse, einige der Blocks erhielten sogar Brausen, die gelegentlich Warmwasser spendeten.

Ein Postamt wurde eingerichtet. An den Schaltern holten die Glücklichen, die ein Paket geschickt bekamen, dies nun persönlich gegen Vorlage des Transportausweises ab. Für die Auslieferung musste der Betrag von fünfzig Gettokronen gezahlt werden, die aber nun nur noch Theresienstädter Kronen genannt werden durften. Fünfzig Kronen entsprachen einem Wert von fünf Reichsmark.

Auch das kulturelle Leben nahm inzwischen einen fast normalen Verlauf. In den verschie-

densten Kasernen waren Betstuben entstanden.
Zahlreiche Rabbiner aus allen Ländern Europas
lebten unter den Eingesperrten. Sie lehrten in
diesen Tempeln, die aber nicht nur den religiö-
sen Bedürfnissen dienten, sondern auch der allgemeinen Freizeitgestaltung. Vier der Rabbiner
gehörten dem Ältestenrat an. Sie lebten als Prominente in weitaus besseren Verhältnissen als
die Allgemeinheit.

An allen Feiertagen und jedem Sabbat wurden Gottesdienste gehalten, und da die Räume
meist nur sehr klein waren, mussten die Gläu-
bigen frühzeitig kommen und sich Plätze sichern. Die Mitglieder vieler deutscher Gemeinden blieben auch in Theresienstadt ihren alten
Rabbinern treu und kamen regelmäßig zusammen um deren Predigten zu hören und Gemeinschaft zu haben.

Die Gottesdienste wurden geduldet. Später
wurden sie, so unglaublich dies auch klingt,
von der SS-Dienststelle sogar angeordnet.

Mancher Fromme brachte in seinem Gepäck
religiöse Gegenstände in das Getto, die für
einen Gottesdienst benötigt wurden. Aus Prag
und anderen tschechischen Kultusgemeinden
kamen Thorarollen, Gebetsriemen und Gebets-
mäntel nach Theresienstadt.

Im Herbst gingen die Invaliden aus der Man-
sarde auf Transport in den Osten.
Im Tagesbefehl vom 8. September hieß es:
»Arbeitseinsatz. Der Arbeitseinsatztransport

157

mit 5000 Personen hat am 6. des Monats das Getto verlassen.«

Unter diesen fünftausend waren auch die vierzehn durch Kriegsverletzungen behinderten Männer gewesen, die David betreute.

Am Abend vor dem Transport war er wieder einmal bei den Alten erschienen, hatte die schon obligatorische Tüte mit Zigarettenstummeln auf den Tisch gepackt und hoffte auf frohe Gesichter.

Doch das Lächeln blieb aus. Bedrückt blickten die Männer vor sich hin. Sie gaben auf Davids Fragen keine rechte Antwort und drucksten nur herum. Endlich, als David schon wütend wurde und ärgerlich gehen wollte, legte ihm Josef Herz beide Hände auf die Schultern. »Du musst uns versprechen dich nicht aufzuregen, David«, verlangte er, und die anderen, die eng um die beiden am Tisch Sitzenden standen, nickten ernst.

»Versprochen, Josef, aber nun berichte doch schon endlich!«

Schwer kam es aus dem Mund des Mannes, der seine gesunden Glieder für Deutschland im Weltkrieg gelassen hatte: »Wir gehen morgen auf Transport, David!«

David sprang so erregt auf, dass er den Schemel umwarf. »Aber das ist doch unmöglich!« Der Junge konnte sich nicht beruhigen.

»Was regst du dich auf, David«, sagte Oppermann, der Goldschmied, sehr ruhig, »man kann doch nichts daran ändern. Wir müssen versuchen das Beste draus zu machen, und vielleicht wird es alles nicht so schlimm, wie man jetzt überall munkelt!«

»Sie brauchen Platz im Getto. Nun sollen neben den Belgiern und Holländern auch die Dänen hierher gebracht werden und darum schieben sie alle nach dem Osten ab, die in ihren Augen nur unnütze Fresser sind. Wir sollen in ein Getto für Kriegsinvaliden kommen; und vielleicht geht es uns gar nicht so schlecht dort«, versuchte Josef Herz den Jungen zu beruhigen.

David aber hatte im Hinterkopf das Gespräch, das er in den vergangenen Tagen auffing, als er seine Arbeit im Kameradschaftsheim verrichtete. Hauptsturmführer Seidl unterhielt sich mit einem hohen Beamten der Reichsbahn, der zu Besprechungen in die SS-Dienststelle gekommen war. Nach ein paar Gläsern Cognac sagte er lachend: »Wir sind hier der Wartesaal, und Sie, Parteigenosse, sorgen dafür, dass die Züge pünktlich abgehen!«

»Ja, Hauptsturmführer«, bestätigte der Reichsbahner, »und sie gehen pünktlich ab, auch wenn ihre Endstation das Nichts ist!« Er rülpste ungeniert und goss sich erneut ein. »Oder sollte man lieber sagen: die Endstation heißt Hölle?«

Hauptsturmführer Seidl schlug mit der Faust auf den Tisch, dass Flasche und Gläser hüpften, und rief begeistert aus: »Toll, Parteigenosse, und wir sind hier im Vorhof der Hölle!«

Es fiel David schwer, sich in die Gegenwart des Invalidenheimes zurückzufinden. Nur mit Überwindung schaffte er es, die trüben Gedanken zu unterdrücken. Er bekam Angst, die Alten würden seine Gedanken erraten. So zwang er sich ein Lächeln ab und bestätigte Josef Herz: »Sicherlich wird es nicht so schlimm werden. Meist sind die Vorstellungen, die man sich macht, schrecklicher als das, was einen dann wirklich erwartet. Und wer weiß, vielleicht sind die Russen schneller, als wir denken, und holen euch alle aus dem Getto heraus. Das wird eine Freude sein, wenn wir uns dann wieder sehen!«

»Ja«, sagte Oppermann gespielt fröhlich, »und dann besaufen wir uns alle mit Wodka, bis wir unter dem Tisch liegen!«

»Ja, so viel, dass es uns aus den Ohren wieder herauskommt«, schrie ein anderer, und die Männer lachten und redeten durcheinander, froh darüber, dass die Sorgen für Minuten verdrängt waren.

David blieb, solange es seine Zeit und die Sperrstunde erlaubten. Er wollte die Männer nicht alleine lassen, wollte bei ihnen sein, ihnen die Angst vertreiben helfen.

Als es für den Jungen Zeit wurde zu gehen, drückte ihm Oppermann etwas in die Hand. Es war in Papier eingewickelt und fühlte sich hart und rund wie Erbsen an. »Nimm es, David. Es ist mein Dank an dich für viele schöne Stunden. Du hast mit deiner Herzlichkeit, deiner Hilfsbereitschaft uns allen das Leben hier ein wenig leichter gemacht! Ich werde es nicht mehr brauchen. Du aber halte es gut versteckt, vielleicht hilft es dir einmal, wenn es ums Überleben geht!« Oppermann drückte David herzlich an sich, die anderen folgten seinem Beispiel. Zuletzt kam Josef Herz: »Wir alle werden für dich beten. Sieh zu, dass du diese böse Zeit überlebst. Mache alles, was die von dir verlangen. Die Hauptsache ist, du kommst heil aus der Scheiße heraus!« Er legte seine Hand segnend auf Davids Kopf. Die anderen um sie herum wurden still, und dann sagte Herz mit rauer Stimme: »Und nun geh und denk mal an uns!«

Die Blicke der Alten begleiteten David zur Tür. Kaum konnte er sehen, wohin er trat, so blind waren seine Augen von zurückgehaltenen Tränen. Er war schon auf der Treppe, als er stehen blieb und sich umwandte. Er schaute hoch zur Tür der Invalidenmansarde. Sie war geschlossen, niemand sah ihm nach, und dann brach es aus dem Jungen heraus. Er konnte sich nicht dagegen wehren, er musste den alten Spruch sprechen, denn er ahnte, dass niemand von den Männern da oben mit dem Leben davonkommen würde. Und so sagte er dann die Worte, die man für einen Menschen spricht, den man liebt und den man nicht mehr unter den Lebenden weiß: »Yisgadadal we Yiskaddach!«

In jenen Tagen traf ein Transport mit mehr als eintausend verlausten, hungernden und völlig verdreckten Kindern ein. In verriegelten Viehwaggons waren sie zehn Tage und Nächte, von Bialystok in Polen kommend, unterwegs gewesen. Die Türen der Waggons waren nur gelegentlich geöffnet worden um Brot und Wasser hineinzureichen. Die hungernden und halb verdursteten Kinder stürzten sich wie Tiere darauf.

Als sie auf dem Bahnhof bei Theresienstadt ankamen, waren sie stumm vor Angst und wankten aus den Viehwagen. Die jüdischen Betreuer gingen behutsam mit ihnen um, wussten sie doch, wie sehr Hunger und Durst und das seelische Leid die Kinder zermürbt hatten. Die Kinder trugen verschmutzte Fetzen und fast alle waren barfuß. Mit ihren kleinen Händen umklammerten einige ein Spielzeug, eine Puppe oder auch ein Gebetbuch, das sie von daheim mitgenommen hatten.

Auch Vera war unter den Betreuerinnen. Sie konnte nur mit Mühe die Tränen zurückhalten, als sie die mageren, verschmutzten Kleinen sah. Es war ein trauriger Zug, der sich auf das Getto zubewegte. Vera hatte sich an die Spitze ihrer Gruppe gestellt, die Hände von zwei Kindern genommen und war so vorangegangen. Die Kinder folgten den Betreuern ängstlich, nur zögernd und auf guten Zuspruch hin.

Die Kinder wurden nicht in den Bestand des Gettos aufgenommen, sondern von den anderen Gettobewohnern streng abgesondert.

Die West-Baracken, die mit Stacheldraht eingezäunt worden waren, nahmen den Transport auf. Streng bewachten die Gendarmen das Kinderlager. Sie erhielten strikten Befehl auf jeden zu schießen, der sich den Kinderbaracken näherte.

Von der jüdischen Selbstverwaltung wurden gute Ärzte und Kinderschwestern bestimmt, sich um die verstörten Kleinen zu kümmern.

Auch die Helfer durften die West-Baracken nicht mehr verlassen und erhielten das Verbot, Verbindung mit anderen im Getto zu halten. Das war nicht leicht, denn fast jeder hatte familiäre oder freundschaftliche Bindungen.

Die Kinder mussten in ihrem jungen Leben auf das Brutalste erfahren, was es bedeutete, als Jude geboren zu sein. Bei vielen war der Lebenswille kaum mehr vorhanden. Sie ließen sich gehen und waren völlig apathisch. Vera versuchte ihre Gruppe aufzuheitern, erzählte vom Getto und log, wie schön und gut alles hier sei. Es gelang ihr nicht. Die Kinder ließen auch weiterhin die Köpfe hängen.

Als sie gruppenweise zur Entlausung geführt werden sollten, drängten sie sich in den Zimmerecken zusammen, schrien laut und aus ihren Augen sprach unsägliche Angst. Vera versuchte sie zu beruhigen, es gelang ihr nicht. In allen Gruppen spielten sich ähnliche Szenen ab. Sobald die Kinder hörten, es gehe zur Desinfektion, jammerten sie und klammerten sich aneinander. Sie wollten die Baderäume nicht betreten und schrien die wenigen Worte in Deutsch heraus, die sie kannten: »Nein, nein! Bitte, bitte nicht. Kein Gas, kein Gas!«

Die Männer der SS standen betreten da. Schließlich gingen sie und überließen den jüdischen Helfern die Arbeit. Die versuchten nun die Kinder zu überzeugen, dass es nur zur Körperreinigung und zur Entlausung gehen solle. Doch so sehr die Schwestern und Pfleger sich auch mühten, es gelang ihnen nicht, den Kindern die furchtbare Angst zu nehmen. Mit einer Kraft, die niemand den Kleinen zugetraut hatte, klammerte sich eines ans andere.

Vera begann zu ahnen, dass die Kinder schreckliche Erlebnisse gehabt haben mussten. Und auch in den anderen Betreuern keimte eine Ahnung davon, was sich im Osten tat und wovon die Kinder Zeuge geworden waren.

Endlich war es den Pflegern gelungen, einige der größeren Jungen gewaltsam in das Entlausungsbad zu schaffen. Sie zwangen sie mit leichter Gewalt, die Kleider abzulegen. Als sie erst einmal unter den Duschen standen, aus denen warmes Wasser brauste, als die Seife den Dreck fortspülte und dann schließlich das Entlausungspulver nur zur Vernichtung der Läuse bestimmt war, da atmeten die Burschen auf. Mit einem zaghaften Lächeln kamen sie aus dem Baderaum und erhielten von den Helfern sofort frische Kleidung gereicht, die sie erleichtert anzogen.

So schnell es möglich war, rannten sie auf die andere Seite des Bades, wo die meisten Kinder nach wie vor verängstigt jammerten, und berichteten ihnen mit schnellen Worten, dass dieses Bad wirklich nur der Sauberkeit und Entlausung diente. Da löste sich die Angst und es war dem Pflegepersonal leicht möglich, die Kinder zur Körperreinigung zu schaffen.

Vera war es leichter ums Herz geworden, als sie sah, dass die Kinder nach und nach die Angst verloren. Als ihre Gruppe sauber und mit gekämmten Haaren, aus denen weiß das Lausepulver staubte, vor den Essnäpfen saß und mit vollen Backen genüsslich das Essen verschlang, kam einer der großen Burschen auf sie zu und begann in Polnisch, Deutsch und Jiddisch zu radebrechen. Vera verstand nur bruchstückhaft, was der Junge ihr erzählte. Die Kinder des Transportes waren im Getto von Bialystok in Polen daheim. Kurz vor ihrer großen Reise hatte man alle Juden auf einem Platz gesammelt, die Alten und Gebrechlichen und alle Frauen auf eine Seite geprügelt, die arbeitsfähigen Burschen und Männer auf die andere Seite getrieben. Verloren standen nun die Kinder mitten auf dem Platz und mussten mit ansehen, wie ihre Großeltern, Mütter und Verwandte erschossen wurden.

Vera verstand den Burschen nur schwer, aber sie sah an der unendlichen Traurigkeit in seinen Augen, wie furchtbar in Bialystok der braune Tod seine Ernte gehalten hatte.

Mit der Ankunft der polnischen Kinder im Getto wurde den Gettobewohnern bewusst, was bisher nur hinter vorgehaltener Hand geflüstert worden war: In den polnischen Vernichtungslagern hatte die Massenvernichtung von jüdischem Leben begonnen.

Der »Mundfunk« berichtete jedem, der es hören wollte, von den Mordtaten. Und doch gab es im Getto viele Juden, besonders unter denen, die aus dem Reichsgebiet kamen und sich immer noch als Deutsche fühlten, die einfach nicht glauben wollten, was da im Osten an Morden geschah. Sie befanden sich in guter Gesellschaft mit vielen Völkern der Welt, die diese Verbrechen auch nicht glauben konnten.

David erfuhr von Vera, was sich in Auschwitz tat. Der Junge war eines Abends an den Zaun der West-Baracken geschlichen um Vera einige Minuten zu sehen.

»Wie lange musst du noch in Quarantäne bei den kleinen Polen bleiben?«, fragte er sie und streichelte durch den Draht ihr kurz geschnittenes Haar.

»Das weiß noch niemand. Wir rechnen mit vier Wochen, aber genau kann das keiner sagen!«

»Ich habe Sehnsucht nach dir, Vera, und weiß nicht, was ich mit meiner freien Zeit anfangen soll!«

»Lass dir einen anderen Alten von der Jugendbehörde zuweisen, um den du dich kümmern kannst, David. Es gibt genug alte und kranke Menschen, die auf einen anderen warten, der ein gutes Wort für sie hat! Und nun verschwinde, es ist gefährlich hier am Zaun, die Tschechen schießen sofort, wenn sich was rührt!« Vera streckte ihre Hand durch den Draht und streichelte David verlegen über die Wange.

»Ich komme morgen Abend wieder vorbei«, verabschiedete sich der Junge, »sei um dieselbe Zeit wieder hier!«

»Ich werde es versuchen«, flüsterte Vera und huschte hinüber zu den Baracken. David kehrte über Schleichwege zurück in das Jugendheim. Er war zwar durch seinen Arbeitsausweis abgesichert, musste er doch oft länger seinen Dienst tun, als ihm die Sperrstunde eigentlich erlaubte, aber er wollte es nicht darauf ankommen lassen, von einer Streife gestellt und verhört zu werden. Ungesehen kam er zum Heim und betrat in dem Augenblick die Unterkunft, als der Heimleiter gerade aus seinem Zimmer trat um die Lichter in den Zimmern zu löschen. David brannte das, was er über die Morde gehört hatte, so sehr auf den Nägeln, dass er sich aussprechen musste. Herr Pinkas hatte von den polnischen Kindern gehört. David erzählte ihm, was er von Vera erfahren hatte. Der Heimleiter winkte ab. »Das sind doch alles nur Latrinenparolen! Ich glaube nicht daran, dass deutsche Menschen zu solchen Untaten fähig sind! Du kommst doch auch, wie ich, aus dem Reich und hast, wie ich, mit den christlichen Deutschen gelebt, weißt, wie sie denken und handeln. Das sind doch keine Massenmörder, Rosen!«

»Es sind mehr als tausend Kinder, die aus Angst vor Gas fast wahnsinnig wurden! Sollen die alle die Unwahrheit sagen? Es ist bestimmt was dran an ihrem Bericht!«

David zog die Tür hinter sich zu und legte eilig die Kleider ab. Dann kletterte er über die anderen Schläfer zu seinem schmalen Schlafplatz. Er konnte an jenem Abend nicht einschlafen.

Immer wieder hörte er Veras Bericht und ihn schauderte bei dem Gedanken an die Untaten, die von den Kindern berichtet worden waren.

Die Dänen waren da!
Im Oktober kamen um die fünfhundert Menschen aus dem Land im Norden ins Getto. Meist waren es Familien, die sich mit den Theresienstädter Verhältnissen sehr schwer taten. Sie kamen aus einem Land, in dem sie in Ruhe leben konnten, in dem es reichlich zu essen gegeben hatte. Nun standen sie wie verirrte Kinder vor den verdreckten Unterkünften und konnten es nicht fassen, dass ihr Leben hier in Bahnen verlaufen sollte, die sie bisher nicht kannten. Sie waren entsetzt über die Zustände im Getto, und das, obwohl ihnen die jüdische Selbstverwaltung meist Unterkünfte zuwies, die weitaus besser waren als die für die Mehrheit der Gettoisierten. Die dänischen Familien blieben zusammen. Viele bekamen Zimmer, die sie nur mit ihren Angehörigen teilen mussten. Ihnen blieb erspart Tag und Nacht fremde Menschen um sich zu haben.

Die Dänen schimpften in einer Sprache, die kaum jemand im Getto verstand. Sie klang derb und bäuerisch.

Die Frauen griffen mit festen Händen zu. Sie fegten den Dreck aus den Unterkünften. Sie fegten so heftig, als wollten sie allen Unrat für immer davonfegen. Und weil sie keine Besen besaßen und die alten Theresienstädter ihre Besen

168

nicht ausleihen wollten, weil sie neidisch auf die wohlgenährten Juden waren, da rissen die dänischen Frauen Äste von Büschen und Bäumen ab und banden sie zu Reisigbesen.

Sie versuchten mit Lumpen die verschmutzten Fußböden aufzuwischen, lagen auf dem Boden und wischten, aber es nutzte nichts, sie verschwendeten nur Wasser und am Ende waren die Fußböden so schmutzig wie vorher.

Am meisten machten ihnen die Flöhe zu schaffen. Die schienen mit Vorliebe an die Dänen zu gehen und ihr Blut zu tanken. Ganz zerstochen, von riesigen Quaddeln übersät waren ihre Körper. So brachten sie jeden Morgen das Bettzeug hinaus ins Freie und klopften es mit Ausdauer, in der Hoffnung so die Flöhe vertreiben zu können. Doch die waren hartnäckiger als die Dänen. Nach etwa einer Woche gaben sie ihren Kampf auf. Sie mussten einsehen, dass sie das Ungeziefer nicht vernichten konnten.

Durch Zufall erfuhr David, dass in der Dachkammer des Invalidenheimes zwei dänische Großfamilien untergebracht worden waren. In der Mitte des Raumes spannten sie eine Leine, legten Leinentücher darüber, die sie mitgebracht hatten, und richteten sich so gut häuslich ein, wie es eben möglich war.

Es ging ihnen weitaus besser als den anderen Eingesperrten. Das Dänische Rote Kreuz und viele Hilfsorganisationen halfen mit Liebesgaben. Freunde und Verwandte in Dänemark schickten, so oft es möglich war, Pakete mit Lebensmitteln und Kleidung. Wenn auch viele dieser Pakete gestohlen wurden, diejenigen, die ihre Empfänger erreichten, halfen den Dänen zu den Privilegierten des Gettos zu gehören. Mancher, der vor Hunger ein hohlwangiges Gesicht hatte, verrichtete für eine Mahlzeit Hausarbeit bei den Dänen.

In Gruppen zogen die Dänen durch die Gassen des Gettos. Staunend betrachteten sie alles, was sich tat. Sie sahen das Elend, das für jeden offensichtlich war, der die Augen aufhielt, hielten sich an den Händen wie Kinder, die sich verlaufen hatten, und wollten einfach nicht glauben, dass es sich nicht um einen bösen Traum handelte, sondern dass sie die Realität des Gettos erlebten.

Nach einem Monat kam Vera wieder zu ihren Kindern in den Kinderblock zurück.

David war glücklich, sie sehen zu können ohne sich heimlich unter Gefahr an den Zaun der West-Baracken heranschleichen zu müssen, und zeigte es ihr. Er brachte eine Blechdose mit, in der sich runde Schokolade befand, die den Soldaten der deutschen Wehrmacht als Notproviant zustand und die David im Kehricht des Kameradschaftsheimes nach einer durchfeierten Nacht der SSler gefunden hatte.

Er steckte sie ein und gab sie Vera, als sie sich zum ersten Mal nach der Quarantäne sahen. Genüsslich brach sie ein Stückchen ab, schob es in den Mund und rollte so komisch mit den Augen, dass David loslachte und sie an sich drückte.

»Ich hatte schon fast vergessen, dass es so köstliche Dinge einmal gab«, sagte Vera und verschloss die Dose wieder. »Ich werde den Kindern davon etwas abgeben!«

David ärgerte sich und verstellte sich nicht. Vera drückte ihm einen Kuss auf die Lippen und zog ihn in den Schutz der Büsche, deren Laub schon die bunten Farben des Herbstes angelegt hatte.

Samtweich und warm waren Veras Lippen.

Glückliche Minuten fliegen dahin wie Sekunden. Das musste auch David feststellen.

Als sich Vera aus seinen Armen löste und hochrot und erhitzt die Kleider richtete, fragte sie leise: »Wann können wir uns wieder sehen, David? Ich habe mich so lange nach dir gesehnt!«

»Morgen kann ich nicht kommen, da habe ich Dienst bis weit nach Mitternacht. Aber übermorgen, Vera, wenn du willst, dann . . .«

». . . wie kannst du nur fragen, David«, unterbrach sie ihn und sah ihm zärtlich in die Augen.

Die zwei standen und konnten sich nicht trennen. Jedes Mal, wenn Vera erneut Versuche machte zu gehen, hielt David sie mit einer neuen Geschichte auf. »Weißt du eigentlich schon, dass die Dienststelle von der Selbstverwaltung eine radikale Verschönerung des Gettos gefordert hat?«

Vera schüttelte den Kopf. »Verschönerung? Darunter kann ich mir nicht viel vorstellen! Was soll da schon verschönert werden? Die baufälli-

171

gen alten Kasernen, die alten Häuser, von denen der Putz abbröckelt?«

»Ich weiß auch nicht recht. Sie sprachen davon im Kameradschaftsheim, sie redeten auch von einem Film, den sie hier drehen wollen und der in allen Filmtheatern gezeigt werden soll. Auch von einer Kommission war die Rede, einer internationalen Kommission, aber Genaueres weiß ich nicht. Man muss sich vorsehen beim Lauschen. Das ist eine verflixt gefährliche Sache. Wenn sie dich dabei erwischen, knüpfen sie dich auf oder du landest im besten Fall in der Kleinen Festung hinter Gittern!«

Vera streichelte ihm über die Haare. »Sieh dich bloß vor, David! Das alles ist es nicht wert, dass man sein Leben aufs Spiel setzt!«

David beruhigte sie. »Ich weiß schon, wie weit ich gehen darf, Vera. Denkst du, jetzt, wo es schon an allen Fronten heißt: ›Vorwärts, Kameraden, es geht zurück‹, werde ich mich in Teufels Küche bringen? So dämlich ist David Rosen nicht. Überleben will ich und mit dir ein glückliches Leben führen!«

Vera winkte ab. »Ach, David«, sagte sie und riss sich los aus seinen Armen, »träume nicht so verrückte Träume. Sieh dich um! Wir sind im Getto und müssen froh sein, wenn wir den nächsten Tag erleben ohne auf Transport in den Osten geschickt worden zu sein!«

David gab nicht auf. »Irgendwas tut sich, Vera! Du kannst mich nicht hindern fest daran zu glauben!«

»Wenn es dich glücklich macht, David, dann tu dir keinen Zwang an«, erwiderte sie und löste sich aus seinen Armen. Schnellen Schrittes ging sie auf den Kinderblock zu, drehte sich noch einmal um und winkte ihm zu.

David winkte zurück und flüsterte: »Bis bald, Vera, schlaf gut, mein Liebes!«

David hatte richtig gehört. Die SS befahl dem Judenrat die Verschönerung des Gettos. Und was die uniformierten Herrenmenschen befahlen, das versuchten die Mitarbeiter der jüdischen Selbstverwaltung, so schnell und so gut es eben ging, zu realisieren.

Die alten Bezeichnungen für die Unterkünfte verschwanden. Für sie kamen Straßennamen auf, die den Außenstehenden den Anschein vermittelten, alles im Getto sei völlig normal, wie in jeder anderen kleinen Stadt. Doch alles, was man auch unternahm, war letztendlich zum Scheitern verurteilt, denn immer neue Transporte aus allen Teilen Europas drängten in das Getto. Noch enger als bisher wurde der Platz, der für den Einzelnen zur Verfügung stand.

Trotz alledem aber wurde der Befehl zur Verschönerung befolgt. Gruppen von Männern und Frauen jeden Alters mußten die Straßen putzen. Es war beinahe grotesk anzusehen, wie sie sich mit unzulänglichem Putzzeug bemühten den Befehl auszuführen. Andere scheuerten die Häuserwände, doch der Schmutz der Jahrhunderte war hartnäckiger als alle Bemühungen.

Die Soldaten der SS verhielten sich den Eingesperrten gegenüber recht unterschiedlich. Die
meisten von ihnen verhielten sich so, als würden
sie die Anwesenheit der unterernährten Menschen, die qualvolle Enge des Gettos und den
Schmutz nicht bemerken. Sie gingen durch die
Straßen, als gäbe es nur sie selbst auf der Welt.

Andere, einige wenige und meistens sehr
junge Soldaten, schienen Mitleid mit den Gefangenen zu haben. Gelegentlich ließ der eine oder
andere, wenn er sich unbeobachtet wusste, Zigaretten oder Brot zu Boden fallen. Blitzschnell
stürzten sich die Menschen darauf, blitzschnell
war alles vorüber, bevor man recht bemerkt
hatte, was geschehen war.

Misshandlungen durch die SS-Männer kamen
kaum vor, sieht man einmal von den Hieben mit
den Reitpeitschen bei den Transporten ab, wo es
nicht schnell genug gehen konnte. Die Herrenmenschen ließen prügeln. Sie befahlen und die
jüdischen Hilfskräfte waren die Handlanger.
Die Gettopolizei tat alles um den Herren der SS
die Wünsche von den Augen abzulesen. Die
Männer wussten, solange sie ihren Dienst willig
nach den Wünschen der Deutschen leisteten,
waren sie fast sicher vor dem Transport in die
Unsicherheit der östlichen Massenlager. Und da
fast jeder Gettopolizist eine Familie besaß, die
mit ihm im Getto relativ sicher lebte, taten sie
alles, was ihnen befohlen wurde. Sie taten es hart
und konsequent.

David war an einem späten Abend im Dezember auf der Hauptstraße unterwegs, als er in der Höhe des Kinderblocks Augenzeuge eines Zwischenfalles wurde.

Nur wenige Schritte vor ihm schwankte ein alter Mann mit schlurfenden Schritten gebückt durch den Schnee. Er war müde und schwach vor Hunger. So sah er auch nicht, dass ihm ein SS-Mann entgegenkam, der nicht mehr nüchtern zu sein schien.

David wollte den Alten noch mit einem »Achtung« warnen, doch da war es schon zu spät. Der SS-Mann schlug dem Alten, der es gewagt hatte, an ihm vorüberzugehen ohne den Hut zu ziehen, so heftig in das Gesicht, dass der strauchelte und hinfiel. Der Hut rollte ein wenig weiter, dann trieb der Wind ihn davon.

David hatte gesehen, dass der Alte erschrocken die Hand vor das Gesicht nahm, als der Uniformträger zuschlug. Es sah aus, als habe er sich gegen den Schlag wehren wollen.

»Kannst du nicht grüßen, Saujud, verfluchter? Wie kannst du dich erdreisten mich angreifen zu wollen«, schrie der Soldat den am Boden Liegenden an.

Der Alte schien nicht zu verstehen. Er drückte den Kopf in den Schnee, stellte sich bewusstlos, vielleicht war er auch vor Schreck ohne Besinnung. Der stämmige Deutsche riss den Alten hoch, es fiel ihm leicht, denn der Jude war ausgehungert und bestand nur aus Haut und Knochen.

»Bitte, Herr Offizier, ich habe Sie nicht gesehen, bitte vergeben Sie mir, lassen Sie mich gehen«, jammerte der Greis, sich sehr bewusst, dass die Unterlassung des befohlenen Grußes eine Strafe zur Folge hatte.

Mehrere Passanten liefen inzwischen zusammen und blieben stehen, obwohl es eigentlich verboten war.

»Du hast mich angegriffen, du Sauhund! Darauf steht die Todesstrafe!« Er griff zur Pistolentasche, öffnete sie und zog seine Waffe. Entsetzt rannten die Zuschauer fort. Auch David brachte sich in Sicherheit.

»Ich verurteile dich wegen eines tätlichen Angriffs auf einen Angehörigen der Dienststelle Theresienstadt zum Tod durch Erschießen und vollstrecke dieses Urteil auf der Stelle!«

Der Alte stand wie aus Stein. Nur der graue lange Bart wehte im Wind.

Der SS-Mann hob die Pistole, setzte die Mündung in den Nacken des Alten. Der spürte den Stahl kalt auf der Haut und sprach das Gebet, das seit Jahrtausenden immer wieder von Juden im Angesicht des Todes gesprochen wird: »Höre, Israel . . .!«

Weiter kam er nicht. Es gab nur einen leisen Knall, kaum dass ihn David hörte. Der Alte sank in den Schnee. Der leblose Körper lag dort wie ein Bündel alter Lumpen.

Der SS-Mann steckte die Pistole zurück. »Na also«, sagte er selbstzufrieden, »ich werde euch schon Mores lehren!« Er rückte sich die Mütze zurecht und schlenderte weiter.

Langsam kamen die Zeugen des Mordes zurück. Einer beugte sich über den Erschossenen, drückte dem Toten die Augen zu und erhob sich. Sie alle gingen schnell davon, denn keiner wollte von der Gettopolizei gesehen und erkannt werden, wenn diese die Beseitigung der Leiche veranlasste.

An jenem Abend steckte David ein dicker Kloß im Hals. Ihm war zum Heulen zu Mute und daran konnte auch das Zusammensein mit Vera und den Kindern nichts ändern.

»Sei nicht traurig, David«, schmeichelte tröstend Jossele und drückte sich an den großen Freund. David nahm ihn in die Arme, streichelte immer wieder über die Haare des Kindes und heulte sich die Wut heraus.

Als Vera ihn nach einer Stunde verabschiedete, sagte David: »Sei nicht böse, Vera, mit mir war heute nichts anzufangen!«

»Du dummer Kerl«, beruhigte sie ihn, »glaubst du, ich würde dich lieben, wenn dich der Mord kalt gelassen hätte?«

Zwei Tage später hing an den Plakattafeln und Anschlagsäulen die Mitteilung der Dienststelle von der standrechtlichen Erschießung wegen tätlichen Angriffes auf den SS-Sturmmann Scherba.

Der frühe Schnee schmolz bald. Hässlich häuften sich die Reste zu schmutzigen Hügeln. Der Wind trieb graue Regenwolken heran, es begann zu regnen und es regnete mehrere Tage ohne

Unterbrechung. Das Durcheinander im Getto durch die immer währenden Zugänge und Abtransporte in die polnischen Massenlager war kaum mehr zu beschreiben. So sehr sich die Zentralevidenz auch mühte, es war ihr nicht mehr möglich, der SS-Dienststelle die genaue Zahl der in Theresienstadt lebenden Juden zu melden.

Seit einigen Tagen gab es einen neuen Kommandanten. Der alte Leiter der Dienststelle, Hauptsturmführer Seidl, war abberufen worden. Ihm wurde vorgeworfen sich nicht hart genug verhalten zu haben. Nun war ein neuer Kommandant da. Obersturmführer Burger hieß dieser Mann. Er sorgte dafür, dass der Älteste des Judenrates und drei leitende Männer der Zentralevidenz mit ihren Familien nach Auschwitz geschafft wurden, weil die Zählung der Menschen im Getto nicht stimmte.

Er befahl eine Volkszählung durchzuführen, denn nichts interessierte die Herren der SS mehr als eine genaue Kenntnis der tatsächlich eingesperrten Juden zu haben.

Am 10. November 1943 stand im Tagesbefehl die Anordnung, versehen mit detaillierten Anweisungen. Und weil neue Besen gut kehren, befahl Obersturmführer Burger die Zählung gleich doppelt abzuhalten. Alles musste sehr schnell gehen. Die erste Zählung fand mitten in der Nacht in den Unterkünften statt. Für die Zeit von 23 bis 5 Uhr war strengste Ausgangssperre angeordnet. Nur die Zähler und wenige Funktionäre waren davon ausgenommen.

In jener Nacht brannte in allen Unterkünften das Licht. Es ist wohl einmalig gewesen, solange das Getto bestand. Die Zähler kontrollierten sehr genau die vorgegebenen Zahlen, schrieben sie in ihre Listen ein und waren sehr von ihrer Wichtigkeit überzeugt. Die meisten Häftlinge schliefen in jener Nacht nicht, denn es machten Parolen die Runde, die von Massentransporten nach Polen wissen wollten.

Es regnete immer noch, als zur zweiten Zählung unter freiem Himmel in Kolonnen anzutreten war.

Kranke, die nicht in Krankenhäusern oder Heimen waren, mussten dorthin geschafft werden. Hier hielt eine geringe Zahl Ärzte und Pfleger den Betrieb aufrecht. Nur die Arbeiter des Elektrizitätswerkes, des Kesselhauses und des Wasserwerkes blieben an ihrem Arbeitsplatz.

Zwischen halb sechs in der Frühe und halb zehn Uhr marschierten die Kolonnen ab in den Bauschowitzer Kessel, einem tief liegenden Gelände östlich des Gettos. Vor dem Abmarsch erhielten die Wartenden, die schon nach kurzer Zeit durchnässt waren, eine Tagesration Brot und Margarine.

Angst kam unter ihnen auf. Viele glaubten nicht mehr daran, dass es sich nur um eine Zählung handele. Sie sprachen von einem Riesentransport in die Massenlager Polens und fanden sich, weinend und wehklagend, damit ab.

Bepackt mit aller Habe standen sie im immer tiefer werdenden Morast, froren und zitterten vor Nässe und aus Angst vor der ungewissen Zukunft. Dann erfolgte der Abmarsch. Die tschechischen Gendarmen umkreisten die Judenkolonnen wie Hirtenhunde die Schafherde.

Im Bauschowitzer Kessel angekommen, standen Tausende im Schlamm der Wiesen. Der Regen ließ endlich nach, Nebel zog auf. Die ersten Menschen fielen um. Schlammbedeckt lagen sie im Dreck, kaum mehr als Menschen kenntlich. Ärzte und medizinische Pfleger halfen, wo es möglich war.

Nach langen Stunden zermürbenden Wartens hörte man von ferne das laute Knattern näher kommender Motorräder. Die SS-Männer trafen ein, stiegen ab und schritten langsam die wartenden Menschenreihen ab. Die Soldaten der unteren Chargen bis zum Unterscharführer begannen zu zählen. Die meisten von ihnen verzählten sich und mussten unter heftigem Fluchen neu beginnen. Es war nicht wie sonst bei den Zählappellen, bei denen die SS abseits stand und nur die Endresultate in Empfang nahm, diesmal waren sie die Prüfenden.

Nach mehreren Stunden war noch kein Ergebnis erzielt. Die SS begann, nervös und ärgerlich über den Misserfolg, zu prügeln. Gegen fünf Uhr am Abend stiegen sie auf die Motorräder und fuhren ab. Die Unsicherheit der Menschen über das, was nun weiter geschehen würde, blieb bestehen. Es begann erneut zu regnen. Die Menschen froren und der Regen drang durch die Kleider bis auf die Haut. Der Abend kam heran und es wurde dunkel. Angst erfasste die Menschen. Mehr als dreißigtausend Juden standen an diesem Novembertag fünfzehn Stunden mit den Beinen im Schlamm, waren durchgefroren und durchnässt, voller Sorgen und Ängste, als gegen neun Uhr abends der Abmarsch begann. Und weil keiner die Rückkehr leitete, niemand so recht wusste, wohin es ging, ob ins Getto oder auf Transport zum Bahnhof, drängten alle in einem heillosen Durcheinander zu dem engen Ausgang des Bauschowitzer Kessels. Nur der Umsicht und Ruhe einiger Gettowächter war es zu danken, dass kein größeres Unheil geschah.

Gegen Mitternacht waren die meisten der Juden wieder in den Unterkünften. Viele der alten und kranken Menschen aber hatten den Rückmarsch nicht bewältigt. Sie lagen im Schlamm oder hatten es auf allen vieren kriechend bis zu den im Bau befindlichen Süd-Baracken geschafft. Sie wurden von freiwilligen Helfern, die meist aus den Reihen der Jugendlichen kamen, in das Getto zurückgebracht. Die ganze Nacht waren die Krankenträger mit ihren Bahren unterwegs.

Die Folgen dieser Zählung im Freien bei Kälte und Regen waren Lungenentzündungen und schwere Erkältungen. Einige Alte starben. Vieles blieb für Tage nach der Zählung völlig durcheinander. Die Brotzuteilung klappte erst nach knapp einer Woche wieder regelmäßig.

Die Zählung der SS aber war gescheitert.

Die Dienststelle ordnete für die Woche vom 19. bis 24. November eine neue Zählung an. Diesmal zählte die SS mit den jüdischen Verwaltungsleuten.

Die Bettlägerigen wurden an ihren Lagern aufgesucht und gezählt, alle anderen mussten in Gruppen vor das Bankgebäude marschieren und hier warten. Einer nach dem anderen trat dann an die Bankschalter, legte seine Personalpapiere vor und wurde gemeinsam von einem Uniformierten und einem Juden gezählt.

Diesmal gelang die Zählung. Es wurden 40 145 Lagerbewohner festgestellt.

Mit den Dezembertransporten gingen massenweise die Menschen nach Polen ab. Wohl jeder im Getto wusste nun, was in den Konzentrationslagern geschah, und alle lebten in kaum beschreibbarer Angst, auf die Transportlisten zu kommen. So suchte sich jeder der Arbeitsfähigen eine Arbeit, die ihn wenigstens zunächst vor dem Transport in das Gas schützte.

Die Menschen boten alles, was sie noch an wertvoller Habe besaßen, um sich vom Transport freizukaufen. Manchmal gelang dies, oftmals nahmen die Zuständigen für die Transportauswahl die Wertgegenstände und ließen die Menschen trotzdem in die Vernichtungslager schaffen.

Es war wenige Tage vor dem Jahresende. David hatte wieder einmal Reste vom Weihnachtskuchen der SS gesammelt und trug sie nun mit sich, als er in den Kinderblock ging.

Es war ein kalter Dezembermorgen. Nur eine

dünne Decke Schnee hüllte das Getto wie in ein weißes Laken. David beeilte sich, denn er fror, hatte Vera seit Tagen nicht gesehen und freute sich auf das Zusammensein mit ihr. Auch auf die Gesichter der Kinder war er neugierig, wenn er ihnen die Kuchenreste auf den Tisch legen würde.

Als er in den Torweg des Kinderblocks trat, sah er Vera und eine ihm unbekannte Kinderschwester in der ersten Etage die Decken der Kinder ausschütteln. Vera lehnte sich dabei weit aus dem Fenster, und als David sie sah, winkte er ihr zu. Sie schien ihn nicht zu sehen. Ihr Gesicht war blass und um den Mund gruben sich zwei harte Falten.

David eilte die Treppe hinauf. Überall im Treppenhaus und auf dem Gang spielten Kinder und winkten David zu, denn sie sahen ihn gern. Vera schien schon auf ihn gewartet zu haben. Sie legte die Decken zusammen und stapelte sie neben dem Fenster auf dem Boden. Ihre Augen blickten traurig, nicht ein bisschen Freude wollte in ihnen aufglimmen. Und sofort keimte in David die Angst auf, dass etwas Schreckliches geschehen sein musste.

Vera sah die Angst in den Augen des Freundes. Sie ließ die Decke, die sie faltete, zu Boden gleiten und flüchtete sich in seine Arme. Es gelang ihr nicht mehr, die Tränen zu unterdrücken. Mit weit aufgerissenen, furchtsamen Augen umstanden sie die Kinder. Die zweite Kinderschwester nahm die Kinder beiseite.

Vera schmiegte sich an David. Laut weinte sie und klammerte sich an den Jungen. »Ich stehe auf der Transportliste. Übermorgen geht der Transport ab«, schluchzte sie und hielt David so fest, dass es ihn schmerzte. Er hörte Veras Worte, aber er verstand den Sinn nicht. Erst ganz langsam begann er die Worte zu begreifen. Transport, signalisierte sein Verstand, Vera wird in den Tod geschickt!

David taumelte, ihm war speiübel. »Das darf nicht sein«, schrie er so laut, dass es durch den Flur hallte, »das kann Gott doch nicht zulassen!«

»Lass ihn aus dem Spiel, David! In dieser Zeit regiert das Böse, Gott ist nicht im Getto!«

Davids Gedanken rasten. Alles Mögliche dachte er sich aus. Er dachte an gemeinsame Flucht, verwarf den Gedanken aber so schnell wieder, wie er gekommen war. Er wusste, dass bisher jeder Flüchtling schon nach Stunden ergriffen worden war und in der Kleinen Festung verschwunden war. Blitzartig hatte er eine Idee. Er sah den alten Herrn Oppermann, hörte seine Worte, mit denen er ihm das Päckchen, dessen Inhalt zwei Brillanten gewesen waren, zusteckte: »Vielleicht helfen sie dir, wenn es ums Leben geht«, und streichelte Vera über das Haar. »Ich glaube, ich habe eine Idee! Lass mich nachdenken!« Er löste sich aus der Umarmung, öffnete das Fenster und ließ sich die kalte Luft um den Kopf wehen. »Ja«, sagte er dann überlegend, »ich glaube, ich hab es. Lass mich nur machen,

Vera, und beruhige dich. Es wird bestimmt alles gut ausgehen!«

Vera schüttelte den Kopf. »Machen wir uns doch nichts vor, David! Was willst du denn schon unternehmen? Glaubst du, weil du Schlatenschammes bei der SS bist ...«

»... ach was, aber ich habe etwas anzubieten. Du weißt doch, was ich von Oppermann bekommen habe, als der auf Transport ging; das werde ich dem Leiter der Transportevidenz anbieten, wenn er deinen Namen von der Liste streicht!« Er küsste Vera ohne darauf zu achten, dass die Kinder noch auf dem Gang spielten, und sagte: »Ich muss mich aber beeilen, wenn ich nicht zu spät kommen will. Ich melde mich wieder bei dir, sobald ich mehr weiß!«

Er löste sich von Vera und rannte los. Nach einigen Schritten blieb er stehen, drehte sich um und warf Vera die Tüte mit den Kuchenresten zu. »Für die Kinder, Vera. Es soll ihnen gut schmecken!«

Im Hauseingang blieb er stehen, bückte sich und trennte mit heftigem Ruck den Saum des rechten Hosenbeines auf. Er nahm die erbsengroßen geschliffenen Steine und rannte los. Nicht eine Minute wollte er verschenken.

Im Büro der Transportevidenz ließ sich David nicht abweisen. Beharrlich bestand er darauf, den Leiter der Abteilung zu sprechen, und ließ wie nebenbei einfließen, dass er Dienst im Kameradschaftsheim der SS mache. Das magere Fräulein, an das David geraten war, wusste nicht recht, was es mit dem Jungen anfangen sollte. Der stand wie ein Fels und war nicht bereit, auch nur ein Wort über den Grund seines Kommens zu sagen. Endlich wurde dem Schreibfräulein die Ausdauer des Jungen zu viel. Sie stand auf und sagte kurz angebunden: »Ich werde es versuchen, aber versprechen kann ich dir nichts!« Sie klopfte an die Tür des Nebenzimmers, trat ein, schloss die Tür hinter sich und ließ David wartend zurück.

Der schickte ein Stoßgebet zum Himmel und ließ die Tür zum Nebenraum auch nicht einen Moment aus den Augen.

Das magere Fräulein kam zurück. Es lächelte säuerlich und sagte: »Dann tritt ein, der Leiter will dich sehen!«

Als David vor dem Mann stand, dem die Macht über Leben und Tod gegeben war und durch diese Macht ins Gas schicken konnte oder es verhindern, war ihm übel, doch er ließ es sich nicht anmerken und trug sein Anliegen vor.

Der Mächtige sah streng über den Brillenrand, hörte David an ohne ihn zu unterbrechen und schwieg auch dann noch eine Weile, als der zum Schluss gekommen war.

»Es ist selten, dass jemand für einen anderen zu mir kommt, die meisten kommen und betteln mich an, weil sie selbst auf der Liste stehen. Aber wenn ich dir helfen würde, müsste ich jedem Ansuchen nachgeben und dann wäre die Liste leer. Ich kann dir nicht helfen, Rosen!«

David begriff, dass die Entscheidung endgültig war und besagte: Und nun lass mich allein! Er streckte Hilfe suchend beide Hände vor, doch der Mächtige hinter seinem Schreibtisch sah ihn schon nicht mehr; er hatte sich über die Schriftstücke gebeugt und schaute nicht mehr hoch. David verließ das Zimmer langsamen Schrittes mit hängendem Kopf. Tränen liefen ihm über die Wangen, er merkte es nicht. So stand er im Zimmer des dürren Schreibfräuleins. Er schrak hoch, als dieses ihm einen Knuff in die Rippen verabreichte. »Heul dich aus, aber gib nicht auf. Ein richtiger Mann gibt niemals auf.«

David schluckte die Tränen herunter. In den Worten des mageren Fräuleins war ein Klang gewesen, der ihn aufmerken ließ.

»Ich darf dir eigentlich keinen Hinweis geben, aber wenn ich an deiner Stelle wäre, ich würde den Gang rechts hinuntergehen und an die dritte Tür klopfen. Dort sitzt ein Mann, der die Transportlisten weiterleiten muss. Wenn der will, ist der mächtiger als mein Chef, denn er kann streichen, ohne dass es jemandem von der Evidenz auffällt!«

Neue Hoffnung stieg in David auf. Dankbar sah er das magere Fräulein an und ging dann schnell den Flur nach rechts. Vor der dritten Tür stand er ein paar Sekunden, holte tief Luft und betrat das Zimmer ohne anzuklopfen. Er redete auf den Funktionär ein, ohne ihm die Chance zu geben ihn zu unterbrechen. Nur Chuzpe kann dir nun noch helfen, dachte er, nur Frechheit. Unaufgefordert setzte er sich, redete wie ein

187

Wasserfall und spielte auffällig mit den wertvollen glitzernden Steinchen. Von einer Hand ließ er sie in die andere gleiten und beobachtete bei diesem Spiel die Blicke des anderen ununterbrochen. Er sah, wie die Augen gierig zu glänzen begannen, wie sie sich immer mehr an den glitzernden Kügelchen festsaugten, und dann, mit einem Mal, wusste er, dass er dieses makabere Spiel um Veras Leben gewonnen hatte.

Herr Malach stand auf, grinste und winkte David zu, ihm damit bedeutend, den Redefluss zu stoppen. »Nun schweig doch endlich. Du hast mich schon überzeugt, wie wichtig es für die Kinder des Kinderblocks ist, dass deine Freundin Vera in Theresienstadt bleibt!« Er streckte fordernd die Hand aus. »Noch überzeugender aber ist das Glitzern der Steinchen in deiner Hand! Lass sie mich sehen!«

David öffnete die Hand. Glitzernd und funkelnd lagen die beiden Brillanten in ihr. Sie weckten die Begehrlichkeit des Funktionärs. Er wollte zugreifen, doch David schloss schnell die Hand zur Faust. »Erst die Ware«, forderte er. »Ich will sehen, dass der Name meiner Freundin von der Liste gestrichen wird, dann gehören die Steine Ihnen!«

Herr Malach schien unschlüssig. Dann nickte er und suchte nach dem Original der Transportliste. Als er sie fand, fragte er und ließ dabei den Zeigefinger suchend über das Papier gleiten: »Wie ist der Name deiner Vera?«

»Schorr!« Davids Mund war nun trocken, so

trocken, dass Malach ihn kaum verstand. Er fragte zurück: »Wie war der Name?«

Laut und deutlich sagte David ihn noch einmal und der flinke Finger fand den Namen auf der Liste. »Ah, hier haben wir die Vera Schorr. Dann will ich dafür sorgen, dass sie als gute Kraft ihren Kindern erhalten bleibt!« Er nahm ein Lineal, tauchte den Federhalter in das Tintenfass und strich den Namen aus der Liste, schrieb etwas an den Rand der Liste und siegelte alles ab. »Und nun die Bezahlung«, forderte er und streckte die Hand vor. David ließ die Brillanten hineingleiten. Flink ließ sie Malach in der Hosentasche verschwinden. »Und damit wir beide unsere Freude haben an diesem Geschäft, rate ich dir dringend: Zu niemandem auch nur ein Wort! Wir haben uns doch verstanden? Und nun geh, bevor uns jemand zusammen sieht!« Er ging zur Tür, öffnete sie ein wenig und spähte hinaus. »Verschwinde. Und zu keinem ein Wort!« David rannte davon. Ihm war so leicht, als habe er Flügel. Er jubelte vor Freude.

Draußen packte ihn die Kälte und dämpfte die Hochstimmung. Er rannte den Weg zum Kinderblock, rannte ihn so schnell, dass er außer Atem geriet und schwitzte.

Vera tat ihren Dienst. Sie tat ihn abwesend und mit traurigem Blick. Sie hörte David schon auf der Treppe. Ohne auf die Heimordnung zu achten schrie er so laut, dass es in dem hohen Treppenhaus hallte: »Halleluja, halleluja!«

Vera rannte ihm entgegen. Sie wusste mit

einem Mal, dass David es geschafft hatte, dass die Flügel des Todesengels sie nur gestreift hatten.

Die zwei fielen sich in die Arme, hielten sich so fest, als wollten sie sich nie wieder loslassen.

Jossele kam mit einer Schar Kinder dazu, stellte sich vor die Glücklichen, stemmte die Arme in die Seite und behauptete: »Nun seid ihr Mann und Frau!«

Da löste sich die Spannung. Vera und David brachen in schallendes Lachen aus. David griff Jossele, hob ihn hoch und warf ihn in die Luft, so lange, bis der Junge vor Freude jubelte.

»Los, Jossele, lauf, hol alle Kinder herbei«, schrie David zwischen Lachen und Weinen, »heute spielt der Kasperle wieder ein lustiges Spiel!«

Die Juden im Getto Theresienstadt waren nie eine echte Gemeinschaft. Ihnen gemeinsam war allein die Zwangsunterbringung und die befohlene Kennzeichnung, der »Judenstern«. Sitten und Gebräuche, Sprache, soziale Herkunft, ja sogar die Religion waren so unterschiedlich wie auch sonst unter Menschen verschiedener Staaten. Das »Jüdische« an ihnen war einzig und allein der »Judenstern«. Besonders auffällig war das bei den deutschen Juden. Sie sahen »deutsch« aus und benahmen sich deutscher als viele arische Deutsche und schon am Dialekt waren sie als Berliner, Rheinländer oder Bayern zu erkennen. Nur bei den wenigsten zeigten sich die »typisch jüdischen Merkmale«, wie sie von den Vertretern der Rassentheorie den Juden zugeordnet wurden. Die »Mandelaugen, jüdischen Nasen und der fleischige Mund« waren nur bei einer Minderheit zu finden.

Es gab im Getto bis zum Zusammenbruch des Dritten Reiches jüdische Menschen, die von »ihrer SS« sprachen, die sich trotz der Demütigungen als Deutsche fühlten und von ihren Glaubensbrüdern aus anderen Ländern recht verächtlich sprachen.

In den Spitzen der jüdischen Selbstverwaltung befanden sich überwiegend Zionisten, die sich auch offen dazu bekannten. Getaufte oder Halbjuden nahmen im Getto kaum führende Stellungen ein, aber man tolerierte andere Glaubensrichtungen, ja man hielt besonders unter den deutschen Juden die Sitte des Schenkens zu Weihnachten ein.

Weitaus mehr Menschen als in allen anderen Gettos und Lagern galten im Sinne der Rassengesetze des Nazireiches nicht als »Volljuden«. Es lebten im Getto Dreivierteljuden, Halbjuden und sogar Vierteljuden.

Hier gab es Gefangene, die auf der deutschen Seite den Polenfeldzug mitgemacht hatten und später aus der Wehrmacht ausgeschlossen wurden.

Auch aus den besetzten Gebieten, aus Holland, Belgien, Frankreich und Ungarn, kamen im Dezember unaufhörlich neue Transporte. Andere Menschen, die oft schon lange Zeit in Theresienstadt lebten, wurden in die Konzentrationslager des Ostens abgeschoben. Sie starben in den Gaskammern der Vernichtungslager.

Gelegentlich gab es Streitigkeiten zwischen den tschechischen und den deutschen Juden. Die Tschechen lehnten die Deutschen ab, sie verweigerten ihnen oftmals selbst den Gruß. In den Augen der Tschechen waren die deutschsprachigen Juden genauso schuldig am Unglück wie die Deutschen.

So hielten sich die Juden der verschiedenen Nationalitäten für sich. Selbst bei den gelegentlichen Gottesdiensten trafen sie sich getrennt nach ihrer Herkunft.

Zu Weihnachten des Jahres 1943 zelebrierte zum ersten Mal ein katholischer Priester die Christmette. Er war aus Amsterdam in das Getto transportiert worden, gehörte einem Mönchsorden an und wurde wegen seiner Mönchskutte von vielen angestarrt, wenn er durch die Straßen ging und freundlich nach allen Seiten grüßte.

Zahlreich waren die katholischen Juden gekommen. So zahlreich, dass die kleine Kellerkapelle nicht ausreichte. Laut klang der Gesang durch die Heilige Nacht der Christen. Mancher Jude konnte das nicht verstehen und fragte sich: Wie kann man zu demselben Gott beten wie die Peiniger?

V

Das Jahr 1944 war schon einige Wochen alt, als die Grußpflicht gegenüber der SS und den Gendarmen abgeschafft wurde. Zuerst wollte es niemand glauben, dann aber, als die Verordnung als Tagesbefehl an den Anschlagsäulen hing, ging ein Aufatmen durch die Gettoisierten.

Schon seit einiger Zeit hatte man bemerkt, dass die Männer der SS weniger herrisch auftraten. Sie übersahen Situationen, die zuvor zu harten Strafen geführt hatten, und zeigten sich manchmal fast menschlich.

Auch David konnte das erfahren, wenn er seinen Dienst tat. Man redete in den ersten Monaten des vierundvierziger Jahres mit ihm und sah ihn und die anderen Ordonnanzen nicht nur als Sklaven oder seelenlose niedere Kreaturen.

Im Heim sprach David über seine Feststellung mit dem Leiter.

Der überlegte erst einmal gründlich und sagte dann: »Uns kann es nur recht sein. Man hat es schon seit dem Ende des letzten Jahres erkannt. Seitdem die Erfolge der Wehrmacht im russischen Winter zu Niederlagen wurden, besonders seit dem Fall von Stalingrad, ist das so. Die Herrenmenschen besinnen sich nun langsam darauf, dass sich das Kriegsglück wenden könnte, und sichern sich jetzt schon bei unseren

Leuten ab, indem sie ihnen mal ein Lächeln oder ein freundliches Wort gönnen, wie man einem räudigen Hund einen Bissen zuwirft!«

»Ja«, erwiderte David, »besonders im SS-Heim wird das deutlich. Vor ein paar Tagen hat uns einer der jungen SS-Männer, die jetzt aus dem Reich gekommen sind, eine Flasche Schnaps geschenkt und mit uns, die wir an diesem Tag Dienst tun mussten, etwas davon getrunken! Undenkbar noch vor einem halben Jahr!«

Der Leiter nickte beifällig: »Du meinst einen der jungen SSler, die jetzt freiwillig der SS beigetreten sind! Das sind noch rechte Jungen, kaum siebzehn Jahre alt!«

»Ja, nicht älter als ich selbst«, bestätigte David. »Und sie wollten an die Front, wollten kämpfen und fühlen sich hier sehr unglücklich. Das konnte man aus den Worten des SSlers erkennen, der mitgetrunken hat. Als ihm der Schnaps die Zunge löste, hat er das gesagt!«

»Wir wollen hoffen, dass die Alliierten weiterhin siegreich sind. Für uns alle, ob hier oder in den anderen Lagern, kann das lebensrettend sein!«

David stülpte sich die Pelzmütze über, die er im Dezember gegen Abgabe eines Bezugscheines und gegen Bezahlung von fünfzig Gettokronen kaufen konnte, und verabschiedete sich von dem Leiter des Jugendheimes: »Ich muss mich beeilen, sonst komme ich zu spät zum Dienst, und das ist bei den Deutschen ein fast so großes Verbrechen wie die Beleidigung Hitlers!«

Am nächsten freien Tag war David recht früh auf dem Weg zum Kinderblock. Schon von weitem hörte er das Lärmen der Kleinen und freute sich, wie lebhaft sie trotz der Gettohaft immer noch waren. »Die braunen Arier sollen sich nur nicht zu früh freuen, noch leben wir«, dachte er, als er die Treppe zu Veras Gruppe hinaufstieg. Er kam gerade in das Gruppenzimmer, um das Ende des hebräischen Unterrichtes mitzubekommen. Dieser Unterricht wurde von einem jungen tschechischen Zionisten unter Gefahr für Leib und Leben abgehalten. Es war strengstens verboten im Getto Unterricht jeglicher Art zu erteilen. Hielt man sich nicht an das Verbot und wurde entdeckt, war die Strafe fast immer der Transport in ein Vernichtungslager.

David hörte, wie Jossele sich in der alten Sprache der Urväter versuchte, die für ihn selbst eine fremde Sprache war, denn in seiner Familie lebte man längst nicht mehr religiös. Aber er freute sich und lächelte zu Jossele hinüber, als er den Kleinen so gekonnt schwadronieren hörte. »Boker tow«, vernahm David und freute sich, dass er den Sinn verstand. »Guten Morgen, liebe Sonne«, sangen nun die Kinder. Es war ein Lied mit hebräischem Text und David wurde innerlich ganz weich.

Vera war so in ihre Arbeit vertieft, dass sie David erst bemerkte, als die Kinder, laut kreischend, wild aus dem Zimmer rannten. Herzlich umarmte sie ihn, lächelte ihn an, aber David sah, dass es ein müdes Lächeln war und die Angst noch nicht von ihr gewichen war.

Der junge Madrich, der Lehrer, kam um sich zu verabschieden. Vera stellte ihm David vor. »Ahoj«, grüßte der andere ihn mit dem tschechischen Gruß, »willst du nicht mal zu unserem Gruppentreffen kommen? Der Zionismus ist für uns Juden die einzige Chance, in der Welt zu überleben und unsere Identität zu bewahren!«

David wand sich. Er wollte den anderen, der ihm sympathisch war, nicht vor den Kopf stoßen, hatte aber beim besten Willen kein Interesse an diesen Gruppentreffen.

Mit feinem Gespür erkannte der Madrich, dass sein Werben bei David kein Gehör fand. Freundlich verabschiedete er sich.

Jossele, der wartend beiseite stand, kam nun auf David zu. Er reichte ihm die kleine Hand und grüßte hebräisch: »Schalom, Chawer!«

David hob den Jungen hoch und drückte ihm herzlich einen Kuss auf: »Schalom, kleiner Freund«, erwiderte er. Jossele lachte ihm offen ins Gesicht: »Dich möchte ich als Vater haben, David!«

Da lachte Vera zum ersten Mal nach der großen Angst wieder herzlich und sagte: »Den Burschen kriegst du nicht wieder los, der hat dich in sein Herz geschlossen!«

Der Winter verlor langsam seine Schrecken. Es wurde wärmer und mit der Wärme erwachten auch wieder die Lebensgeister. Mit aller Energie wurde nun, nach der Zwangspause des Winters, wieder an der befohlenen Verschönerung des Gettos gearbeitet. Mit Eifer waren die beauftragten Handwerker bei der Sache, versprachen sich doch alle von der Verschönerung eine Verbesserung des Zwangslebens. So wurde von morgens bis spät am Abend gehämmert, gesägt, geleimt und gestrichen und man konnte schon bald erste Ergebnisse sehen: Das Getto begann wirklich schöner zu werden.

Es war in den Tagen, als die Juden das Purimfest feierten, das ein wenig vergleichbar dem Karneval ist. Man begann an vielen Orten mit den Vorbereitungen der Purimspiele.

Die Kinder in den Heimen bastelten aus Lumpen die Masken für die Darsteller und jeder wunderte sich, wie scheinbar aus dem Nichts Masken und Kostüme entstanden.

Dann war es so weit. Das Purimspiel des tschechischen Jugendheimes, das wohl das bestgeleitete Heim des Gettos war, konnte beginnen.

Der Saal füllte sich. Einige der Besucher brachten Schemel und Stühle aus den Unterkünften mit, andere setzten sich auf den Boden, aber allen war die Vorfreude anzusehen endlich einmal einen Tag zu erleben, der sich vom grauen Gettoalltag abhob. Vera war in den Besitz von zwei Eintrittskarten gekommen. Rifka, ihre Kollegin, wollte ihre Karte nicht und so konnte David mitkommen. Vera wartete schon ungeduldig vor dem Saal, der einmal eine Turnhalle gewesen war. Die Zuschauer kamen in Massen, nur David war nicht darunter. Als Vera schon nicht mehr an sein Kommen glaubte und gehen wollte, sah sie ihn von weitem. Er ging sehr schnell und winkte ihr zu. Ein wenig außer Atem schnaufte er: »Entschuldige, Vera, aber es war nicht eher möglich. Obersturmführer Burger und seine Offiziere konnten sich nicht trennen und wir mussten länger bleiben!«

»Schon gut, David! Erzähl mir nachher davon. Jetzt müssen wir uns beeilen, wenn wir nicht zu spät kommen wollen!« Sie nahm ihn resolut an den Arm und zog ihn hinter sich her. Kaum hatten sie den Saal betreten und sich einen Platz auf dem Boden gesucht, wo die Masse der jungen Leute saß, da läutete die Glocke den Beginn der Vorstellung ein, und ein Darsteller in der Maske des Harlekins zog den Vorhang zur Seite, der aus Papiersäcken bestand und bunt bemalt worden war.

Es begann mit Szenen aus dem Buch Esther, in dem die Geschichte vom persischen König Ahasveros, seiner Königin Esther, dem bösen Judenhasser Haman und dem klugen Mardochai erzählt wurde. Gebannt und mit vor Aufregung geröteten Wangen saßen die Zuschauer und lauschten der Geschichte auf der Bühne. Sie litten mit Esther und Mardochai, die von Haman beim König angeklagt worden waren, und dem ganzen Volk der Juden in Ahasveros' Reich.

Begeistert klatschten die Zuschauer Beifall, als Esther zum König ging und von ihm zur Königin erhoben wurde. Und als dann der König befahl Haman an den Baum zu hängen, den dieser für Mardochai hergerichtet hatte, und der Judenhasser an seinem Halse aufgeknüpft wurde, als die befreiten Juden vor Freude um den Galgenbaum tanzten und die Königin Esther, die Retterin des Volkes, hochleben ließen, da jubelten die Zuschauer ihre Erleichterung heraus und vergaßen, dass sie selber ja unter der Knechtschaft eines modernen Haman standen.

Der Beifall wollte nicht enden. Geschmeichelt verbeugten die jungen Darsteller sich immer wieder. Dann zog der Harlekin den Vorhang endgültig zu. Die Zuschauer verliefen sich.

David begleitete Vera auf dem Weg zum Kinderblock. Auch er war begeistert von der Spielfreude der jungen Schauspieler. Vera schmiegte sich eng an ihn. So gingen die zwei ihres Weges.

»Wir bekommen eine Kommission. Sie hat sich schon angemeldet. Dänische Diplomaten sind dabei, Beobachter des Nationalen und Internationalen Roten Kreuzes und Gott weiß wer noch!«

»Woher weißt du, David?«

»Burger hatte eine Besprechung mit seinen Offizieren. Sie wollen, dass die Verschönerung schneller geschafft wird, damit die Kommission den besten Eindruck mitnimmt. Der Kommandant scheint besorgt zu sein!«

Als sie vor dem Kinderblock standen, sagte

Vera: »Ich möchte öfter zu Veranstaltungen gehen, David. Ich fühle mich heute wie neugeboren!«

»Und wie willst du an Karten kommen, Vera?«

»Das wird sich zeigen. Jedenfalls hat einer der Verwaltungsmenschen, der mit der Freizeitgestaltung zu tun hat, seine Nichte bei uns im Block. Die werde ich ansprechen!«

»Tu das!«

Nach einer Pause fragte David: »Wollen wir noch eine halbe Stunde laufen, Vera? Ich möchte mich noch nicht von dir trennen!«

»Was fragst du? Komm, lass uns schon gehen!«

Die Verschönerung des Gettos ging zügig voran. Alles das, was die SS-Führer forderten, wurde, so schnell es möglich war, durch die jüdischen Arbeiter und Handwerker ausgeführt. So renovierten sie auch das Kaffeehaus, das schon seit dem Herbst 1942 bestand. Es sprach sich wie ein Lauffeuer herum, wie schön es geworden war, und jeder versuchte Eintrittskarten zu bekommen. Das war nicht ganz einfach, denn viele alte Menschen sahen in dem kostenlosen Besuch des Kaffeehauses den Abklatsch der Normalität. Für zwei Stunden konnten sie sich in der Enge des Kaffeehauses an den runden Marmortischen in die Zeiten zurückträumen, in denen sie frei und ein »Jemand« gewesen waren.

Der Kaffee, den der Kellner im Frack und gestärkter weißer Weste servierte, sah wenigstens nach Kaffee aus, wenn er auch undefinierbar schmeckte. Nach zwei Stunden musste der Gast seinen Platz für den nächsten Besucher freimachen. In diesen zwei Stunden aber lauschten die Gäste den Darbietungen fast unbeweglich und es war oftmals so still, dass man das Atmen hören konnte. Besonders dann war das der Fall, wenn gute Künstler gekommen waren und ernste Musik spielten. Aber auch Unterhaltungsmusik brachten die Künstler zu Gehör. Starken Beifall bekamen die »Ghetto-Swingers« bei ihren Auftritten. Das Büro für »Freizeitgestaltung« lobte diese jungen Künstler sehr, und dies zu Recht. Wenn sie loslegten, ohne Unterbrechung ihr Repertoire darboten, mit ihren tragenden Stimmen »Veronika, der Lenz ist da« herausjubelten, glänzten die Augen der Zuhörer. Wenn sie jazzten: »Bei mir biste scheen«, dann wippten die Alten an den Tischen im Takt mit den Füßen, sangen leise mit und vergaßen alles um sich herum.

Besonders beliebt waren die Kabarettnachmittage im Kaffeehaus.

Die Zuschauer gingen mit wie kaum ein anderes Publikum. Sie achteten auf jede Nuance und es gab keine Pointe, die nicht verstanden wurde. Große Kabarettisten wie der Berliner Filmschauspieler Kurt Gerron waren sich nicht zu schade im Kaffeehaus aufzutreten. Anspielungen wie »der braune Siegfried mit dem Chaplinbart«* wurden auf Anhieb verstanden und herzlich belacht.

Wenn Vera mit David zwei dieser seltenen Stunden im Kaffeehaus verbracht hatte, räumten sie nur ungerne ihre Plätze für andere Gäste.

»Hast du die frohen Gesichter der Alten gesehen, Vera«, fragte er, als sie auf dem Weg zum Kinderblock waren, wo Veras Dienst in einer halben Stunde begann. Vera nickte Zustimmung. »Die Swingers haben Musik im Blut, aus denen kann noch was werden!« Sie unterbrach sich, weil es ihr bewusst wurde, wo man sich befand.

»Die Anspielung vom braunen Siegfried mit dem Chaplinbart ist gut. Das werde ich mir merken!« David lachte in sich hinein. Vera aber warnte ihn: »Sieh dich vor, Junge! Halte deine Zunge im Zaum. Schon mancher ist auf Transport gegangen, der 's Maul nicht halten konnte. Und wir zwei wollen doch zusammenbleiben, wollen doch diese miese Zeit überleben!«

Sofort war David ernst. »Mach dir keine Sorgen, Vera, ich rede mir schon keinen Strick um den Hals! Ich schweige, aber lass erst einmal alles vorüber sein, dann werde ich reden!«

»Das ist Zukunftsmusik, David. Wichtig ist allein, dass wir überleben!«

Als sie sich vor dem Kinderblock verabschiedeten, sagte David: »Ehe ich es vergesse, Vera,

* Hitler

der hohe Besuch kommt in einer Woche. Sie sprachen im Kameradschaftsheim davon!«

»Soll sein, David! Vielleicht bringt es für uns ein wenig Erleichterung! Aber nun muss ich mich eilen, ich will nicht zu spät zum Dienst kommen!«

Die Kommission kam später als von David angekündigt. In den Monaten, die dazwischenlagen, wurde weiter wie wild an der Verschönerung des Gettos gearbeitet. Auch die letzten Gassen bekamen Straßennamen. Schriftenmaler pinselten sie an die Häuserwände. Und auf einmal gab es auch hier keinen Unterschied mehr zu einer »ganz normalen Stadt«.

Im Sommer wurde die Ausgehzeit bis zehn Uhr abends verlängert. Die Anlagen, Parks und Schanzen waren nun für alle zugänglich und wurden in den Abendstunden von vielen Tausenden aufgesucht. Besonders die jungen Leute lagen im Gras auf den Schanzen, schauten in das Farbenspiel der untergehenden Sonne und träumten.

Jeden Tag gab es zahlreiche Konzerte, Vorträge, Theater, Kabarett und Sportveranstaltungen. Der SS schien nun jede Aktivität recht zu sein, die das Getto Theresienstadt zu »Theresienbad« machte.

Als dann die Stadtkapelle zweimal am Tag zu spielen hatte, da glaubten viele einfache Gemüter, dass sich nun alles zum Guten wenden würde.

Die Nervosität der leitenden Offiziere der SS-Dienststelle stieg wenige Tage vor dem Eintreffen der Kommission aufs Äußerste.

Der Befehl der SS lautete, besonderen Wert auf beste Behandlung der dänischen Juden zu legen, da der angesagte Besuch im Besonderen dieser Gruppe galt. Unangemeldet erschienen die Offiziere in den Quartieren der Dänen und fragten nach deren Wohlergehen und nach bestehenden Wünschen. Immer deutlicher wurde es in diesen Tagen vor der Besichtigung: Die SS fürchtete den internationalen Besuch und versuchte alles, um das Getto im besten Licht erscheinen zu lassen.

Die jüdischen Verantwortlichen spielten immer wieder jede Einzelheit durch, gingen x-mal die Wege ab, die die Kommission gehen sollte, trafen bis kurz vor der Ankunft der Besucher neue Anordnungen und befahlen Änderungen oder Verbesserungen. Die Handwerker arbeiteten Tag und Nacht, als würde davon ihr Leben abhängen. Putzkolonnen wuschen die Gehsteige mit Seifenlauge. Niemand durfte sie danach betreten.

Den Alten und Gebrechlichen, die nur noch zerlumpte Kleidung besaßen, wurde befohlen sich nicht auf den Straßen sehen zu lassen.

Die Rationen für die Tage, an denen der Besuch erwartet wurde, waren auf die doppelte Menge erhöht worden. Das Personal der Küchen, das für die Verteilung des Brotes zuständig war, musste bei der Brotausgabe weiße Handschuhe tragen.

Die Kommission kam an einem Tag, an dem die Sonne herabbrannte und ihr Licht das Getto freundlicher erscheinen ließ.

Sie bestand aus einem Schweizer und zwei Dänen. Der Schweizer war ein Beamter des Internationalen Roten Kreuzes. Sie wurden begleitet von einer Gruppe hoher SS-Offiziere. Einige von ihnen waren aus Berlin angereist, andere kamen aus Prag. Auch ein Herr des Auswärtigen Amtes war dabei und machte den Dänen seine Aufwartung.

Alle SS-Offiziere, bis auf den Kommandanten, trugen Zivil und hielten sich sehr zurück.

Als einziger Jude begleitete die Gruppe Doktor Paul Eppstein, der Judenälteste des Gettos.

Langsam, sehr interessiert und alles sehr genau betrachtend gingen die Besucher durch die Straßen. Sie waren die Ersten, die die geputzten Gehsteige betreten durften.

Die Herren aus Dänemark bekamen Gelegenheit mit ihren eingesperrten Landsleuten zu sprechen. Die bestätigten, der Wahrheit entsprechend, es habe sich im letzten halben Jahr vieles zum Vorteil verändert.

Die Dänen brachten die Grüße des dänischen Königs an seine jüdischen Bürger und dann hörten die Herren der SS die Unterhaltung zwischen den Dänen und dem Schweizer Beauftragten: »Bis auf den enormen psychischen Druck, dem die Menschen ausgesetzt sind, scheint alles einigermaßen korrekt zu sein!«

Und der Herr aus der Schweiz erwiderte: »Jedenfalls kann ich nichts Gegenteiliges feststellen!« Die perfekte Inszenierung der SS war gelungen. Die Herren der Kommission durchschauten die potemkinsche Kulisse nicht.

Um der Kommission den Fußweg zu ersparen – in Wirklichkeit aber um unkontrollierte Gespräche mit den Gefangenen zu verhindern – setzte die SS Autos ein. Sie fuhren im Schritt durch das Getto. Ein SS-Mann in Zivil war der Fahrer des Wagens, in den auch Doktor Eppstein einsteigen sollte. Der war in Gehrock und Zylinder gekommen. Beim Einsteigen in das Auto zog der SS-Mann diensteifrig die Mütze und öffnete ihm die Tür.

Die Menschen auf der Straße, die dieses Schauspiel sahen, staunten mit offenem Mund. Doktor Eppstein spielte die ihm aufgetragene Rolle so gut, wie ihm befohlen war. Seine Versuche, die ausländischen Besucher ohne Beisein der SS zu sprechen, schlugen fehl.

Die drei Autos fuhren zum Haus der jüdischen Selbstverwaltung, das wie vieles im Getto auf das Beste hergerichtet worden war.

Doktor Eppstein hieß die Gäste in seinem mit Teppichen ausgelegten Arbeitszimmer willkommen. Wohin man sah, blühten frische Blumen in den Vasen. Gewaltige Ledersessel standen vor einem reich geschnitzten wuchtigen Schreibtisch. Doktor Eppstein gab seinen Bericht, wie ihm von der Kommandantur befohlen war. Es handelte sich um eine sehr geschönte Statistik. Er malte den Besuchern ein idyllisches

Bild, erzählte von der Seidenraupenzucht, von den Einkaufsmöglichkeiten in den bestehenden Geschäften, wo man Kleidung und Wäsche, Schuhe und Toilettenartikel kaufen könne und in geringen Mengen auch Lebensmittel.

Es gab einen kleinen Umtrunk und einen Imbiss. Nicht nur die ausländischen Herren griffen zu, auch die Offiziere nahmen ungeniert von den angebotenen Speisen.

Nach dieser »Informationsstunde«, in der nur das gesagt worden war, was die Kommission hören sollte, verließ man die Magdeburger Kaserne, in der seit einiger Zeit die Selbstverwaltung ihre Büros hatte.

Man begab sich auf den Weg zur Speisehalle, die in neu gebauten Baracken untergebracht war und die bis zu dem Eintreffen der Kommission noch keinen Gast gesehen hatte.

Die Dänen verlangten von dem Essen zu kosten. Weiß gekleidete Kellnerinnen baten die Herren an weiß gedeckte Tische und servierten gekonnt.

Es schmeckte den Prüfern und die Herren sagten es. Die SS-Offiziere tauschten zufriedene Blicke und lächelten siegessicher.

Auf dem Südberg, wie man seit der allgemeinen Namensnennung die Südschanze nannte, spielten zwei Mannschaften Fußball. Zahlreiche Zuschauer, meist Jugendliche, feuerten die Spieler an.

Die Dänen und der Schweizer notierten dies positiv, sahen die Schrebergärten in der Nähe des Fußballplatzes und stellten erfreut fest, dass dieses Getto sehr gut geführt sei.

Sie kamen an dem Gebäude vorbei, an dem weiß und riesig ein Schild mit der Aufschrift SCHULE zu sehen war. Der Schweizer zeigte anerkennend hinüber und die Dänen gaben durch erfreutes Kopfnicken zu verstehen, dass sie zufrieden waren.

»Leider können wir Ihnen keinen Unterricht vorführen. Es sind zur Zeit Schulferien«, log Doktor Eppstein. Er schämte sich und hätte den Besuchern gerne gesagt, dass jede Art von Unterricht im Getto unter Androhung schwerer Strafen verboten war. Aber er sagte nichts, er hatte Angst. Angst um sich und seine Frau.

Die »arischen Herren« wurden von der SS in das Kameradschaftsheim zum Mittagessen geladen. Eppstein blieb zurück.

Die Offiziere zeigten sich den Besuchern gegenüber von der besten Seite, lächelten und erwiesen sich als vollendete Gastgeber.

David stand wie immer, wenn er Dienst tat, in respektvoller Entfernung und achtete auf jeden Wink. Er hörte, wie lobend sich die Ausländer über die Verhältnisse im Getto äußerten, und dachte: Euch haben sie eine schöne Komödie vorgespielt.

So schnell wie sie gekommen war, fuhr die Kommission wieder ab. Die Offiziere setzten sich in kameradschaftlicher Runde zusammen und leerten einige Flaschen guten Rheinweines. Sie lachten und spotteten und freuten sich, dass es ihnen gelungen war, die »Schnüffler auf's Kreuz zu legen«.

Am 11. Juli hing an allen Anschlagstellen die Mitteilung der Selbstverwaltung, die etwa so lautete:

»Am Südberg findet am 16. 7. 1944 um 15 Uhr eine Herzl-Sportveranstaltung statt. Es kommen zur Ausführung: Staffellauf quer durch Theresienstadt, Fußballspiele der Jugendlichen, Radrennen, Bewegungsspiele und Tänze.«

Jedermann im Getto wusste, dass diese Spiele auf Anordnung der SS abgehalten wurden. Man fügte sich aber, mehr noch, man freute sich über die Abwechslung, welche die Spiele den jungen Leuten bringen würden.

Nur wenige fragten sich, ob den Jugendfürsorgern, die alle den Zionisten angehörten, jedes Gefühl für Ehre abhanden gekommen war. Jüdische Mädchen und Jungen im Gleichschritt aufmarschieren zu lassen, ganz so wie die Mädchen im BDM und die Jungen in der Hitlerjugend, das konnte nur pervertierten Hirnen einfallen. Doch diejenigen, die dieses Spektakel ablehnten, waren in verschwindender Minderheit. Die Mehrzahl freute sich auf die Veranstaltung und drängte begeistert als Teilnehmer hinzu.

Man übersah in jenen Tagen, dass mitten in der inszenierten SS-Komödie 7500 Menschen nach Auschwitz in das Gas transportiert wurden. Viele waren darunter, die alle ihre Kräfte für die Verschönerung des Gettos eingesetzt hatten und nun nicht mehr gebraucht wurden. Man wollte einfach nicht glauben, dass es in Vernichtungslager ging, und selbst auf den Verladerampen sprach man noch hoffnungsvoll davon, dass man zum Arbeitseinsatz käme, denn jetzt, wo sich das Kriegsglück gegen die Deutschen wende, brauchten diese nun die Juden. Wie sehr die Theresienstädter Juden sich irrten, wurde erst im ganzen Ausmaß nach dem Krieg bekannt.

Die Gettoisierten, die wieder einmal davongekommen waren, sahen in ihrer Selbsttäuschung in Theresienstadt das beste Getto. Und den Satz: »Es ist gar nicht mehr so schlimm in Theresienstadt« hörte man immer öfter.

Es war wie ein Tanz auf dem Vulkan. Man amüsierte sich bei Sport und Spiel, lachte herzlich über die Komik der Kabarettisten, summte die bekannten Melodien der Operetten mit, die gelegentlich aufgeführt wurden, und lauschte wie verzaubert im Park dem Kurorchester. In diesen Tagen wurde die nächste Illusion bereits vorbereitet. Den zuständigen Funktionären wurde von der SS klargemacht, dass in der nächsten Woche einige tschechische Kameramänner der Wochenschau eintreffen würden. Im Getto sollte ein Film gedreht werden, der das Leben der hier untergebrachten Juden schildern sollte. Im Schnellverfahren bestimmte man einige ehemalige Filmschaffende der Ufa, passende Drehbücher zu schreiben. Tag und Nacht arbeiteten die Männer daran. Als die Drehbücher fertig waren, verwarfen sie die SS-Offiziere, weil sie das Gettoleben zu realistisch zeigten.

Schließlich wurde die Aufgabe dem Kabarettisten und Filmschauspieler Kurt Gerron und zwei anderen Künstlern übertragen.

Nach dem Willen der obersten SS-Führung sollte der geplante Film erkennen lassen, »wie gut es den Juden in Theresienstadt« gehe, dass sie »keine Sorgen quälten, sie immer noch die bekannten Schmarotzer seien, die nichts dazugelernt hätten und in dem Luxusgetto ein Leben im Überfluss führten, kaum arbeiteten und mit Vorliebe ihrem Vergnügen im Kaffeehaus nachgingen«.

Die tschechischen Kameramänner waren nun überall in den Straßen und auf den Plätzen des Gettos zu sehen. Sie drehten alles, was sie vor die Linse bekamen. Doch das war nicht im Sinne der Kommandantur, es wurde nämlich vieles auf den Film gebannt, was das wirkliche Leben des Gettos zeigte und nicht nur die Schokoladenseite.

Von Seiten der meisten Gettobewohner regte sich Widerstand, denn man hatte mit wachen Sinnen erkannt, dass hier ein Film entstehen sollte, der mit der Wirklichkeit des Gettolebens nichts zu tun hatte. Es wurden Szenen gedreht, wie sich der dümmste Judenhasser die Juden und ihr tägliches Leben vorstellte.

Es wurde in einigen Werkstätten gefilmt, aber die arbeitenden Handwerker waren nur sekundenlang zu sehen. Ein paar Bilder vom Bahnbau waren dabei, braun gebrannte junge Frauen mit Kopftüchern auf den Feldern bei der Heueinfuhr und abendlich-friedliche Szenen in den »Schrebergärten«.

Man zeigte vorzügliche medizinische Einrichtungen, rührende Fürsorge für die Alten und Schwachen und fröhliche Jugend. Not und Armut war nirgendwo zu sehen. Nur Wohlleben und Vergnügen wurde gefilmt. Für die Nahaufnahmen wählten sie nur wohlgenährte Menschen, die auch noch so »jüdisch« aussehen mussten, wie sich die Antisemiten die Juden vorstellten.

Es wurde im Kaffeehaus gefilmt. Damen in großer Abendgarderobe, Herren im Gesellschaftsanzug tanzten zum »dekadenten Jazz«.

Im Theater filmte man gleich drei kurze Szenen aus den Proben zu verschiedenen Stücken.

Fröhliche Kinder spielten auf einem Spielplatz, der auf das Beste hergerichtet war, und Vera war mitten unter ihnen. Diese Szenen strahlten Lebensfreude aus.

Junges Volk und viele Kinder wurden zur Eger geführt. Mit geschulterten Gewehren begleiteten sie die Gendarmen. Die Komparsen erhielten den Befehl ihre Kleider abzulegen und in der Eger zu baden. Erst standen sie verblüfft, so als hätten sie nicht richtig verstanden – dann aber zogen sie die Kleider aus und sprangen froh und jauchzend in den Fluss. Die Kameramänner drehten die Einstellung und waren sehr zufrieden. Die Wache stehenden Gendarmen aber filmte man nicht. Es schien alles eine Idylle zu sein, wie man sie nur selten findet.

Der Propagandafilm wurde in einem Ausschnitt im Herbst 1944 in der Wochenschau gezeigt. Man sah die Juden beim Kaffee im Kaffeehaus, hörte leise Hintergrundmusik. Dann schneller Szenenwechsel: Schüsse, Angriff, verdreckte, blutende Soldaten. Dazu hörte man den Sprecher Folgendes sagen: »Unsere tapferen Soldaten verteidigen unter Blut und Entbehrungen ihre Heimat, in Theresienstadt dagegen sitzen die Juden bei Kaffee und Kuchen im Kaffeehaus!«

Im September war der Film abgedreht. Einige der besten Mitarbeiter erhielten von den SS-Offizieren Geschenke und Vergünstigungen. Wochen darauf aber wurden sie in die Gaskammern nach Polen geschickt.

Im Hof der Hamburger Kaserne fand sich am Abend des 23. September eine Gruppe von jüdischen Funktionären ein, die zusammengerufen worden waren, weil der Judenälteste, Doktor Eppstein, ihnen eine Mitteilung zu machen hatte, die dem hochintelligenten Mann offensichtlich sehr schwer fiel. Eppstein hatte kurze Zeit zuvor von der Dienststelle der SS die Information über den Transport von siebentausend jüdischen Menschen erhalten. Eppsteins Stimme klang sehr rau und er musste ein paar Mal ansetzen, bevor man ihn verstand: »Ich habe eine traurige Mitteilung zu machen«, begann er und tat seine schwere Pflicht, wieder einmal in das Leben von Menschen einzugreifen.

Wenige Stunden vor dieser Hiobsbotschaft trafen sich die führenden SS-Offiziere im Büro des Kommandanten.

Obersturmführer Rahn, der neue Kommandant, bat seine Kameraden, Sturmbannführer Günther und Hauptsturmführer Moess, Platz zu nehmen.

»Wir haben wieder einmal einige turbulente Tage vor uns, Kameraden. Wie von Berlin befohlen wurde, müssen wir eine größere Anzahl Theresienstädter Häftlinge für den totalen Kriegseinsatz bereitstellen! Unsere genauen Prüfungen haben ergeben, dass dies im Getto selbst nicht möglich ist! Es fehlt uns, wie Sie ja wissen, an Platz für Werkstätten. Es handelt sich um einen Arbeitseinsatz wie damals in Zossen!«

Sturmbannführer Günther nickte bestätigend. Er erinnerte sich, dass dort eine Gruppe Handwerker neue Baracken gebaut hatte.

»Eine gute Behandlung der zurückbleibenden Angehörigen wird den ausgewählten Arbeitern garantiert!«

»Und was geschieht mit dem zurückbleibenden Gepäck der Alleinstehenden?«, fragte der für diese Probleme zuständige Hauptsturmführer Moess. »Ich nehme an, die Arbeiter sollen mit leichtem Gepäck reisen?«

»Sie nehmen das Richtige an, Herr Kamerad. Wie bei ähnlichen Transporten ist nur Proviant für vierundzwanzig Stunden und Wechselwäsche erlaubt. Das Gepäck muss eingelagert werden. Dies ist den Arbeitern zuzusichern. Die Fahrt geht übrigens in Richtung Dresden!«

»Wohin genau?«, fragte Moess, aber der Kommandant zuckte nur mit den Schultern. »Bis zur Stunde weiß ich den genauen Einsatzort noch nicht!« Obersturmführer Rahn zündete sich eine Zigarette an und blies den Rauch genießerisch zur Decke. »Nur vollkommen arbeitsfähige, gesunde Menschen bis zu fünfzig Jahren sind für diesen Zweck geeignet. Mit auf Transport sollen Techniker gehen, Handwerker jeder Richtung, eine Anzahl Ärzte, der Zahl der Arbeitskräfte angepasst.«

»Für wie viel Personen sind Transportmittel bereitzustellen?«, fragte Moess, und Dienststellenleiter Rahn erwiderte: »Für den ersten Transport werden für fünftausend Häftlinge Transportmittel angefordert. Die Hälfte davon geht Dienstag früh ab, die zweite Hälfte Mittwoch. Ingenieur Zucker ist von mir beauftragt worden das neue Arbeitslager einzurichten. Er ist ein tüchtiger Mann, dem die Gefangenen vertrauen. Wenn er den Transport anführt, melden sich die geforderten fünftausend im Handumdrehen. Neben Zucker geht der Wirtschaftsfachmann Schlisser mit. Fährt er mit, wissen die Gefangenen, dass ihre Nahrung gesichert ist. Schlisser hat mit seinem Organisationstalent dafür gesorgt, dass in Theresienstadt in der letzten Zeit niemand über Gebühr hungern musste!«

»Und Berlin hat Ihnen nicht mitgeteilt, wohin

215

der Transport gehen soll? Ich kann das nicht so recht glauben«, sagte Sturmbannführer Günther und blickte Rahn misstrauisch an.

»Fragen Sie nicht so eindringlich, mir ist nicht erlaubt darüber zu informieren. Streng geheim, Sie verstehen, meine Herren?!«

Die Herren verstanden und fragten nicht mehr nach.

Als bekannt wurde, dass der Stellvertreter des Judenältesten, Ingenieur Zucker, den Transport leiten würde, meldeten sich viele tausend Häftlinge freiwillig zum Rüstungseinsatz, obwohl nicht einer der Häftlinge wusste, wohin die Fahrt gehen sollte.

Die Züge für den Transport rollten nicht rechtzeitig an. Der Transport musste um einen Tag verschoben werden. Zweitausendfünfhundert Menschen warteten zusammengepfercht in der Enge der Schleuse, die in einem Teil der Hamburger Kaserne eingerichtet worden war.

Bei dem zweiten Transport fuhren auch Funktionäre und Prominente auf besondere Weisung der SS mit. Für sie waren Personenwagen III. Klasse an die Züge angehängt. Diese Personengruppe kam mit massenhaftem Gepäck. Viele im Getto sahen es und waren überzeugt, dass es in »ein gutes Arbeitslager« gehe.

Was die Zurückbleibenden nicht wussten, war, dass den beiden Leitern der Judenschaft, Zucker und Schlisser, sofort nach der Abfahrt des Zuges Handschellen angelegt wurden.

Der Zug war noch nicht durch Dresden, als

man den Männern Postkarten reichte. Die Wachmänner forderten sie auf, ihren Frauen oder sonstigen Angehörigen zu schreiben.

»Aber was sollen wir jetzt schon schreiben? Wir wissen ja nicht einmal, wohin die Fahrt geht«, wehrte sich einer und bekam sofort einen heftigen Schlag ins Gesicht.

»Schreibt«, befahl der begleitende Unterscharführer und war sich seiner Macht sehr bewusst, »dass ihr am Bestimmungsort gut angekommen seid. Verpflegung und Quartiere seien ausgezeichnet und die Arbeit nicht zu schwer und zu schaffen. Schreibt euren Frauen, dass sie bald nachkommen sollen!«

Immer noch war kein Misstrauen in den Männern aufgestiegen. Man vertraute den Worten ihrer führenden Funktionäre, nicht wissend, dass auch diese betrogen in das Ungewisse reisten.

Drei Transporte gingen in jenen Septembertagen, kurz nach dem jüdischen Neujahrsfest des Jahres 5705, ab. Mehr als fünftausend Menschen verlor das Getto mit diesen Transporten. Alle waren sie jung und arbeitsfähig.

Die im Getto zurückbleibenden Handwerker reichten nun kaum mehr aus, ein ordentliches städtisches Leben zu gewährleisten.

Die Gettopost lieferte die Karten der Transportierten aus. Sie machten die Runde unter den Zurückgebliebenen und weckten bei vielen Frauen den Wunsch ihren Männern nachzufahren. Die SS erfüllte ihnen diesen Wunsch. Sie reisten zu ihren Männern, die schon längst in Auschwitz vergast und verbrannt worden waren.

Der Kommandant von Theresienstadt, Obersturmführer Rahn, war seinem Befehl, das Ziel dieser Septembertransporte streng geheim zu behandeln, strikt nachgekommen.

Kurz nach den Transporten verhaftete die SS den Ältesten des Judenrates, Doktor Eppstein. Sie brachten ihn zur Kommandantur. Niemand sah ihn seitdem wieder.

Die warme Kleidung und einige Lebensmittel, die Frau Eppstein für ihren Mann auf der Kommandantur abgab, wurden angenommen, ihr aber jede Auskunft verweigert.

Doktor Eppstein wurde ein paar Tage später in die Kleine Festung geschafft, die bei allen im Getto gefürchtet war. In ihr befanden sich Zellen und wurde gefoltert. Er wurde dort erschossen. Niemals sind Gründe für diesen Mord bekannt geworden.

Nachfolger Doktor Eppsteins wurde Doktor Benjamin Murmelstein. Er blieb Judenältester bis zum 5. Mai 1945. Die Gefangenen misstrauten dem Mann bis zur Auflösung des Gettos.

Am 2. Oktober befahl Obersturmführer Rahn Doktor Murmelstein zu sich. Er ließ ihn stundenlang auf dem Flur vor seinem Dienstzimmer warten um ihm dann kurz mitzuteilen, dass weitere Transporte nicht abgehen würden.

Murmelstein war erfreut. »Kann ich das den

Gettoisierten durch Aushang bekannt geben, Obersturmführer?«

Rahn winkte Bewilligung und erklärte: »Die Räumlichkeiten der Hamburger Kaserne, die bisher als Schleuse Verwendung fanden, können ab sofort wieder für Wohnzwecke benutzt werden!«

Die Theresienstädter lasen die Mitteilung an den Aushangstellen, wiegten sich in Sicherheit und hofften, das Ende des Krieges und ihrer Gefangenschaft in Theresienstadt erleben zu können.

Die Hoffnung trog. Kaum hatte Murmelstein die Kommandantur verlassen, da wurden schon von den Untergebenen Rahns neue Transporte angeordnet. Mit den nächsten neun Transporten wurden mehr als neuntausend Menschen in die Vernichtungslager geschafft. Immer noch hielt die SS den Anschein aufrecht, die Transporte gingen in Arbeitslager. So blieben die ganz alten Menschen und die Arbeitsunfähigen von den Transporten verschont. Ihr Transport hätte die Mär vom Arbeitseinsatz zerstört.

Die Leute der Transportevidenz, die für die Auswahl der Menschen zu sorgen hatten, wussten bald nicht mehr, wen sie auf die Listen setzen sollten. Sie mussten schnell auswählen, denn noch bevor ein Transport die Rampe des Güterbahnhofes verließ, waren schon die Listen für den nächsten Transport vorzulegen.

An einem der milden Herbstabende – David war auf dem Heimweg vom Dienst in seine Unterkunft – trat aus der Dunkelheit eines Torbogens eine Gestalt. David erkannte Vera und wollte sie freudig ansprechen.

Sie verhinderte es, indem sie ihm die Hand auf den Mund legte und sein Schweigen forderte. Sie zog ihn in die Einfahrt. Dort erkannte David, dass neben den Mülltonnen ein Mensch kauerte. Bevor er erkennen konnte, um wen es sich handelte, hing die kleine Gestalt schon an ihm, schlang die Ärmchen um ihn und flüsterte: »David, ich bin es: Jossele!«

Vera redete leise auf David ein: »Mit dem nächsten Transport gehen zweihundert Kinder aus dem Kinderblock mit auf Transport: Jossele steht auch auf der Liste. Aber ich will nicht, dass er fortgeht, ich will, dass er hier bleibt und mit uns den Tag erlebt, an dem diese verfluchte Zeit vorbei ist und er als freier Mensch das Getto verlassen kann!«

»Und wie stellst du dir das vor, Vera?« David war nervös. Er wusste, dass auf das Verbergen von Personen vor dem Zugriff der SS der Tod durch Erschießen in der Kleinen Festung stand.

Auf der anderen Seite liebte er Jossele, seine Zärtlichkeit, sein Zutrauen.

»Wenn du ihn nur für ein paar Tage verbergen kannst, David, dann haben wir schon viel gewonnen! Sind die Transporte erst einmal fort, kann ich Jossele wieder in die Gruppe nehmen. Dann suchen sie vielleicht nicht mehr nach ihm!«

»Ich werde es versuchen. Was an mir liegt, soll

geschehen. Zwei Etagen über dem Jugendheim wohnen zwei dänische Familien. Die werde ich bitten den Kleinen für einige Zeit bei sich aufzunehmen!«

»Glaubst du, die Dänen werden den Mut dazu haben?« Sorge klang aus Veras Worten.

»Ich werde sie fragen, dann werden wir es wissen. Warte mit dem Kleinen hier. Ich bin gleich wieder zurück.« David hastete die Treppe zu den Dänen hinauf. In der Familie Borg lebten, wie David mitbekommen hatte, drei Kinder. Zu diesen Menschen würde Jossele passen. Die kleinen Dänen waren nicht viel älter als Jossele.

Frau Borg öffnete. Sie war eine kleine, mollige Frau. Neugierig musterte sie David, der tief Atem holte und ihr einen Guten Abend wünschte. Frau Borg kannte David vom Sehen. Sie wusste, dass er unten im Jugendheim lebte, und hatte durch den Theresienstädter »Mundfunk« Kenntnis, dass er im SS-Kameradschaftsheim Dienst tat.

»Komm herein«, forderte sie ihn auf und David folgte der Einladung. Zum ersten Mal sah er, dass es im Getto auch Stuben gab, in denen man wie ein Mensch leben konnte. Gemütlich war es hier. Zwei Betten standen hintereinander an einer Wand. An der anderen stand ein Küchenschrank. Daneben ein altes Sofa, davor ein Tisch und drei Stühle.

»Was kann ich für dich tun«, fragte die Frau in dem lustigen Deutsch, das die Dänen sprechen.

David hastete heraus, was ihn bewegte. Er

sagte sich, mehr als ablehnen kann sie nicht. Also rede ich Tacheles!

Frau Borg lauschte still und sah zum Bett hinüber, in dem ihre Kinder schliefen. »Bring ihn herauf. Bei uns werden sie nicht suchen, und wo drei schlafen können, findet auch das Vierte noch Platz und Speise!«

Ehe Frau Borg es verhindern konnte, hatte David die Frau an sich gezogen und sie auf beide Wangen geküsst. Frau Borg wischte verlegen über die Stellen: »Lauf schon und hole ihn her, ehe ich es mir anders überlege!«

Da polterte David die Stufen hinab. Vera hörte ihn kommen und wusste sofort, dass er Erfolg gehabt hatte. Als er noch auf der Treppe war, kam sie ihm entgegen. »Ich weiß schon«, schnitt sie ihm flüsternd das Wort ab, »nicht hier im Treppenhaus!«

Jossele zeigte sich nicht scheu. Mit seinen großen dunklen Augen besah er sich alles in der Stube sehr genau, dann ging er auf das breite Bett zu, sah darin die Kinder der Frau Borg und setzte sich auf den Bettrand, als gehöre er schon seit ewigen Zeiten dazu. Frau Borg lachte herzlich und sagte: »Dass ihr mir aber nicht vergesst wiederzukommen. Eigentlich habe ich mit meinen dreien schon genug Sorgen!«

Wie aus einem Mund versprachen Vera und David sich um Jossele zu kümmern. Mit einem herzlichen Gruß verabschiedeten sie sich.

Frau Borg schloss sorgsam die Stubentür hinter ihnen.

Die Männer von der Transportevidenz machten nicht viel Umstände.

Sie strichen den nicht auffindbaren Jossele von der Transportliste. In jenen Tagen hatten sie so viel zu tun, dass keine Zeit blieb nach einem vermissten Kind zu suchen.

Die zwei letzten Transporte, die Ende Oktober abgingen und mit denen 3753 Menschen in den Tod fuhren, wurden vom Kommandanten Rahn und seinem Stellvertreter persönlich zusammengestellt.

Vor der Kommandantur mussten die Häftlinge antreten. Einer nach dem anderen hatte vorzutreten und seinen Namen und Arbeitsplatz zu melden. Mit Rotstift wurden die zum Transport Verurteilten eingeschrieben, mit Blaustift die Davongekommenen.

Nach diesen Transporten gab es im Getto kaum einen unter fünfundsechzig Jahren, der nicht zu einer besonderen Gruppe zählte, wegen seiner Arbeit benötigt wurde oder aus irgendwelchen Gründen von der SS persönlich in Theresienstadt zurückgehalten wurde.

Theresienstadt glich nach diesen Transporten einer toten Stadt.

Die Menschen waren wie gelähmt, sie hatten erkennen müssen, dass sie wieder einmal von der SS betrogen worden waren, dass die Transporte in das Gas gegangen waren und nicht zu irgendwelchen Arbeitseinsätzen.

Die Straßen lagen öde, sie starrten vor Unrat, den niemand beseitigte, verstreut und herrenlos lag massenhaft Gepäck herum. In vielen Schlafsälen brannte noch Licht, als wären die Bewohner nur mal kurz fortgegangen. Das Wasser floss an den Zapfstellen unaufhörlich aus den Hähnen und keine Schwester kümmerte sich mehr um die Kranken. Sie fielen aus den Betten und lagen tagelang am Boden, bis endlich jemand kam und ihnen half oder ein barmherziger Tod sie erlöste.

Am 28. September 1944 vegetierten 29 481 Menschen im Getto, Ende Oktober waren es noch etwas mehr als 11 000 Häftlinge. Das Getto befand sich in Agonie.

Nur langsam fanden sich die Menschen wieder zurecht. Endlich war es ihnen gelungen, den größten Schock zu überwinden. Sie hatten sich vorgenommen die Gettozeit zu überleben und sammelten wieder neue Kraft dazu.

Am 9. November wurde für alle Häftlinge, begonnen bei den Kindern ab zehn Jahren, die siebzigstündige Arbeitswoche ohne einen freien Tag angeordnet. Die zurückgebliebenen Bewohner des Gettos mussten die Arbeiten verrichten, die bisher von Fachleuten getan wurden. Nach kurzer Zeit gelang es den Frauen und alten Menschen, die lebenswichtigen Betriebe so weit wieder anzukurbeln, dass es irgendwie weiterging.

Im Jugendheim lebten nicht mehr so viel Bewohner wie vor den Transporten. Es gab mehr Platz auf den Lagern, aber es freute niemanden. Zu sehr erinnerten die freien Schlafplätze an die Freunde, die nun schon nicht mehr unter den Lebenden waren.

Die Jungen, die das Schicksal vor dem Transport bewahrt hatte, arbeiteten sehr hart auf den Feldern und in der Viehzucht, und weil die Produkte, die sie schafften, wichtig und für die Arier bestimmt waren, gab es für sie die Chance in Theresienstadt überleben zu können.

David hörte durch Zufall Mitte November Fetzen eines Gespräches, als er die SS-Offiziere bediente: »Die Öfen werden abgebrochen. Die Russen sind schon recht nahe an Birkenau herangekommen. Die Oktobertransporte waren die letzten Transporte, die Theresienstadt verlassen haben!«

Obwohl David nur Bruchstücke des Gespräches verstand, konnte er sich so viel zusammenreimen um den Sinn zu verstehen. Er jubelte innerlich und sehnte die Freiheit herbei. Er nahm sich vor, Vera sofort über das Gehörte zu informieren. Es wurde aber wieder einmal sehr spät, denn die Offiziere fanden kein Ende. Erst nach Mitternacht kam David auf sein Lager. Noch im Einschlafen nahm er sich vor, sofort in den frühen Morgenstunden zu Vera zu gehen. Es kam in ihm eine leise Hoffnung auf, dass nun doch noch alles gut gehen und er die Gettozeit überleben würde.

Vera fiel ihm um den Hals, lachte und weinte in einem, und dann machten die zwei sich auf den Weg, Frau Borg die gute Nachricht zu bringen.

Die schlug die Hände über dem Kopf zusammen, drückte die Kinder immer wieder an die

Brust, überschüttete sie mit Küssen und schließlich tanzten alle wie wild geworden im Kreis
durch die Stube.

»Lasst Jossele hier«, sagte Frau Borg, als sie
sich endlich beruhigt hatte und wieder schnaufen
konnte, »die Kinder und ich, wir haben uns so an
ihn gewöhnt, dass wir ihn nicht wieder hergeben
wollen. Kommt ihn besuchen, sooft ihr wollt.
Niemand ist mir jetzt so lieb wie ihr zwei!«

Binnen kürzester Zeit hatte der Theresienstädter Mundfunk die neueste Nachricht verbreitet.
Die Menschen konnten es einfach nicht fassen.
Endlich sollte die gemeine Angst, als Nächster
auf Transport gehen zu müssen, vorbei sein.
Endlich sollte es Hoffnung geben den Krieg lebend zu überstehen. Sie fielen sich in die Arme,
schrien vor Freude und dankten in der Stille dem
Ewigen, dem Gott Abrahams, Isaaks und Jakobs.

Von der Kommandantur kam der Befehl, die
Asche der Verstorbenen, die in Papierbeuteln,
versehen mit Namen und Transportnummern, in
den engen, lichtlosen Gängen einer Kasematte
gestapelt worden war, fortzuschaffen.

Zynisch und pervers war, dass für diese Arbeit
überwiegend Kinder und einige Frauen herangezogen wurden.

Mehr als zweihundert Kinder bildeten in den
Kasemattengängen eine Kette. Von Hand zu
Hand wurden die Papierbeutel weitergereicht
und auf Lastwagen verstaut.

Die Kinder verrichteten ihre Arbeit ohne jedes

Zeichen von Anteilnahme. Zu sehr hatte sie der Aufenthalt im Getto bereits verroht.

Sie warfen sich die Urnenbeutel zu und machten ihre Scherze: »Schau her, Malka, hier habe ich meine Tante, fang sie gut auf.«

Dem Judenältesten Murmelstein sagten die SS-Offiziere zu, die Asche auf dem Prager jüdischen Friedhof beizusetzen. In Wahrheit fuhren die Lastwagen nur bis zur nahen Eger. Hier kippten die Fahrer die Asche in den Fluss. Der spielte eine Weile mit den träge hinabschwimmenden Beuteln, dann sackten sie ganz langsam in die Tiefe und fanden auf dem Grund der Eger ihre Ruhe. Für ihre Arbeit erhielten die Kinder und Frauen eine Prämie: eine Dose Ölsardinen.

Die SS befahl kurz vor Ende des Jahres der Einsatzleitung, zwanzig junge Männer bereitzustellen. Unter Bewachung von SS-Soldaten marschierte die Gruppe, versehen mit Schaufeln und Hacken, zur Aussiger Kaserne. Auf dem Hinterhof der Kaserne mussten sie das Erdreich ausheben. Lachend hatte einer der SS-Männer erklärt, als er gefragt wurde, wonach man denn eigentlich graben solle, dass sie dies schon früh genug bemerken würden.

Die Männer gruben und hackten den schon gefrorenen Boden auf und schaufelten die Erde beiseite. Schon in einem halben Meter Tiefe stießen sie auf Leichenreste. Es waren die Überreste jener Männer, die in den ersten Monaten des zweiundvierziger Jahres erschossen

227

wurden. Der Grund der Erschießungen: Geringfügigkeiten, Befehlsverweigerungen und Ähnliches.

Das Kommando barg die Überreste in Jutesäcken und lud alle auf die Ladefläche eines Lastwagens. Der fuhr ab, wohin, wurde nie bekannt.

Die Männer ebneten die Aushubstellen ein und planierten den Hinterhof. Als Prämie erhielten sie nach ihrer Arbeit eine viertel Flasche Schnaps, die sie sofort auszutrinken hatten. Der Alkohol wirkte schnell und so bekamen die Männer nicht recht mit, dass die SS sie zur Kleinen Festung marschieren ließ. Hier wurden die zwanzig als unbequeme Zeugen noch am selben Tag ermordet.

Im Verlauf der nächsten Wochen ging alles wieder seinen Gang. Die Menschen im Getto hatten in langen Jahren gelernt, aus den geringen Möglichkeiten etwas zu machen, und die Herren der Kommandantur verließen sich darauf. So befahlen sie die Verschönerung wieder aufzunehmen, denn vieles im Getto wirkte nun, in den letzten Wochen des vierundvierziger Jahres, heruntergekommen, verwahrlost und verdreckt. Die Menschen gehorchten dem Befehl und griffen zu. Sie verschönerten das Getto, so gut es ihnen möglich war. Die wenigen Handwerker, die nach den Transporten noch übrig geblieben waren, wurden für Bauarbeiten an den Gebäuden, die von der SS beschlagnahmt waren, herangezogen. So mussten sie die an der Hauptstraße lie-

gende Bodenbacher Kaserne, die als Dienststelle
der SS diente, von Grund auf renovieren und in
ihr prunkvolle Gesellschaftsräume einrichten.

Das kulturelle Leben im Getto ging weiter.
Obwohl viele der Künstler in die Vernichtungslager transportiert worden waren, ließen sich die
wenigen, die übrig blieben, nicht entmutigen.

»Das Leben geht weiter«, war das Motto der
Menschen im Getto geworden. Sie hatten sich
vorgenommen, gerade nun nicht aufzugeben,
durchzuhalten, bis der braune Spuk vorüber war.
Dass der Krieg sich dem Ende, der Niederlage
zuneigte, war an vielen Einzelheiten deutlich zu
erkennen. Besonders auffällig war das immer
freundlicher werdende Verhalten der SS, vom
einfachen Mann bis zum Offizier. Obersturmführer Rahn, der von einigen Juden halb ironisch,
halb ernst »Papa Rahn« genannt wurde, zeigte
sich zugänglicher und gab Freiheiten, an die noch
einige Monate vorher niemand zu denken gewagt
hatte. So fiel die Ausgangssperre weg, die im
Winter auf zwanzig Uhr festgesetzt war.

In der letzten Dezemberwoche fragte Vera David: »Willst du mitmachen, David?«

»Wobei?«, fragte der zurück und war nicht
sonderlich gut aufgelegt, denn in der vergangenen Nacht hatte er in den neuen Kasinoräumen in
der Bodenbacher Kaserne Dienst getan. Sech-
zehn Stunden war er auf den Beinen gewesen und
spürte nun kaum mehr seine Füße. Trotzdem
war er früh aufgestanden um Vera zu sehen.

»Die von der zionistischen Jugendfürsorge wollen mit uns und den Kindern ein Theaterspiel einstudieren, und weil ich mitspielen muss, dachte ich, du möchtest vielleicht auch dabei sein!«

»Mm, das wäre zu überlegen«, meinte David, »aber denk mal an meine Arbeit. Oftmals dauert sie so lange, dass ich nicht mal zu den Proben kommen könnte. Ich glaube nicht, dass es möglich sein wird!«

»Schade, es wäre schön gewesen, wenn wir zusammen . . .«

David unterbrach: »Ich komme und sehe euch zu, sooft ich kann!«

Und er hielt sein Versprechen. Wenn es ihm die Arbeit erlaubte, kam er in den Kinderblock und setzte sich still in eine Ecke um den Proben zuzusehen.

Der Madrich, wie man den Regisseur nannte, was auf Deutsch Lehrer bedeutet, machte sich seine Aufgabe nicht leicht. Es war ein Stück, das einer der zionistischen Dichter geschrieben hatte, und es spielte in einem utopischen Land, in dem die Juden als freies Volk leben konnten. Froh gingen sie ihrer Arbeit auf den Feldern nach, sangen ihre Lieder, verliebten sich, heirateten und waren glücklich, als die ersten Kinder geboren wurden.

Der Regisseur machte das Beste aus dem Spiel. Er gab seine Anweisungen, sprang auf die Bühne um den Darstellern vorzuspielen, was er an Ideen einzubringen hatte.

David freute sich, als die Kinder aus Veras Gruppe auftraten. Sie hielten kleine Sensen und Rechen in den Händen und sangen mit ihren hellen Stimmen, als sie sich um Vera scharten:

»Wir sind die Schnitter von Boaz Feld!«

Das Bild, das sich David bot, stimmte ihn hoffnungsfroh. Alles in ihm wurde hell.

Am letzten Tag des Jahres 1944 war die Premiere des Laienspieles der zionistischen Jugendgruppe. Man hatte den Kommandanten eingeladen. Er war gekommen und blieb eine knappe halbe Stunde.

VI

Der Januar 1945 war so kalt, dass die Eger zufror, so dick, dass selbst Lastwagen über das Eis fahren konnten. Die scharfe Kälte war aber nicht in der Lage die Hoffnung der Eingesperrten einzufrieren. Im Gegenteil: Sie bekam in jenen Januartagen neue Nahrung.

Der Theresienstädter Mundfunk informierte die Menschen, dass sich auf diplomatischem Parkett etwas tat. Internationale Organisationen, so hieß es, hatten sich für die Häftlinge von Theresienstadt eingesetzt. Es wurde von Entlassungen gemunkelt, von Freikäufen gegen Gold und Dollar, aber es blieb nur bei den Parolen. Es tat sich nichts.

So ging der Januar vorüber, der Februar kam und gleich zu Beginn dieses Monats wurde bekannt gemacht, dass 1200 Personen in die Schweiz transportiert würden.

Im Getto schwankte man zwischen Hoffnung und Todesangst. Zu oft war den Menschen vorgelogen worden, es gehe in ein anderes, besseres Lager, und dann ging es in die Gaskammern der Todeslager.

Das Gerücht verdichtete sich zur Wahrheit. Am 3. Februar erreichte die Menschen das Rundschreiben, in dem die Gefangenen aufgefordert wurden sich zur Überprüfung ihrer Eignung für den Transport im Gemeinschaftshaus einzufinden. Sämtliche Personaldokumente waren mitzubringen. Auch die Personen, die an diesem Transport nicht teilzunehmen wünschten, mussten in das Gemeinschaftshaus kommen um dort eine Verzichtserklärung zu unterschreiben.

»Ich lasse meine Kinder nicht allein«, sagte Vera, als David wissen wollte, wie sie sich entschieden habe.

»Gut«, erwiderte David, »dann bleibe ich auch hier! Ich lasse dich nicht im Stich! Und im Übrigen weiß ich auch nicht, ob die mich fahren lassen würden!«

Im Gemeinschaftshaus herrschte eine drangvolle Enge. Es fanden sich weitaus mehr Bewerber, als Plätze vorhanden waren. Der Kommandant und Sturmbannführer Günther, der eigens aus Prag gekommen war, wählten diejenigen aus, die sie für geeignet hielten. Niemand war darunter, der zu den Intellektuellen zählte, der seine engsten Angehörigen in den Vernichtungslagern verloren hatte oder als Prominenter eingestuft war. Nur wenige Kinder waren unter den Auserwählten.

Die Personalpapiere der Glücklichen wurden abgestempelt. Sie erhielten eine Nummer, denn mehr als 1200 Menschen waren für diesen Transport nicht vorgesehen. Stolz und glücklich drückten sie die Karte mit ihrer Nummer an sich, die für sie die Fahrkarte in die Freiheit, in das Leben bedeutete. Nur Koffer durften mitgenommen werden. Rucksäcke und Pappkartons waren verboten.

Die Nacht vor der Fahrt hockten die Erwählten in der Schleuse. Der Kommandant Rahn kam am späten Abend, stellte sich vor die aufgeregten Wartenden und hielt eine kurze Rede.

»Es wird euch gut gehen dort, wohin ihr jetzt fahrt. Vergesst aber nie, wie gut es euch hier ergangen ist!« Er meinte diesen Satz vielleicht ehrlich, aber in den Ohren der Juden klang er wie Hohn.

Anschließend wurden den Leuten Kuchen und Kekse, Marmelade und Bonbons als Reiseproviant gereicht.

Am nächsten Morgen kam der Befehl sich für den Marsch zum nahe gelegenen Bahnhof bereitzumachen. Es war der Bahnhof, der von den Juden in den letzten zwei Jahren gebaut worden war. Hier standen blitzblank geputzte Schweizer Personenwagen. Hochelegant waren sie und Polsterklasse. Der Marschblock der Juden stockte. Die Menschen glaubten ihren Augen nicht zu trauen, als sie den Schweizer Luxuszug sahen.

Die SS-Männer gaben den Befehl zum Einsteigen. Hastig, voller Angst, es könnte alles nur ein makaberer Scherz der Herrenmenschen sein, stürmten die Juden den Zug. Höflich halfen die SS-Offiziere den Alten in den Zug einzusteigen. Die starrten verblüfft die Uniformträger an. Sie verstanden nichts mehr.

Kaum eine halbe Stunde später kam die Order

zur Abfahrt. Die Lokomotive pfiff ein paar Mal schrill und laut. Für die Menschen auf den Polstersitzen waren es die schönsten Töne ihres Lebens.

Der Zug fuhr an. Er fuhr so sanft, dass man nicht einmal das Rollen der Räder hörte. Nur am Vorbeigleiten der Landschaft merkten die Glücklichen, dass sie fuhren.

Laut schrien die Menschen auf, fielen sich in die Arme, küssten sich, weinten und lachten auf einmal. Es war ein Durcheinander, das man nicht beschreiben kann.

Dann verschaffte sich die Stimme des Schweizers Ruhe, der vom Roten Kreuz beauftragt worden war die Reisenden zu begleiten. In der gemütlichen Schweizer Art rief er: »Und nun trennen Sie bitte die Sterne ab. In einigen Stunden sind wir in der freien Schweiz und Sie sind freie Menschen!«

Da hob einer der Rabbiner die Hände zum Himmel auf und betete: »Gelobt bist du Ewiger, unser Gott, König der Welt, der du uns aus dem Rachen des Bösen gerettet hast!«

Einige Tage nach dem Ereignis, von dem die Theresienstädter noch lange sprachen, kehrten die Männer des Zossener Außenkommandos in das Getto zurück. Die meist jungen Männer waren nur noch Schatten ihrer selbst, abgemagert und blass standen sie vor dem Gebäude der Selbstverwaltung und warteten darauf, in ihre Unterkünfte eingewiesen zu werden. Man be-

235

wirtete sie gut. Sie erhielten nicht nur Brot und eine reichhaltige warme Mahlzeit, sie bekamen auch ein großes Stück Kuchen.

»Kneif mich, ich glaube, ich träume«, sagte einer aus der Gruppe und wies auf den Kuchen, der vor ihm stand.

»Du träumst nicht, Freund«, erwiderte die Frau, die ihm das Essen servierte, »es lebt sich jetzt ein wenig besser im Getto. Es kommen immer noch Pakete aus dem Ausland an, die an die gerichtet sind, die nicht mehr unter uns sind, und diese Pakete helfen uns Lebenden besser zu leben und zu überleben!«

Die Männer aus Zossen, die über lange Zeit dort Bauarbeiten ausgeführt hatten, machten sich gierig über die Speisen her, sie schlangen hinunter, was ihnen vorgesetzt wurde, und saßen dann sterbenselend mit heftigen Magenschmerzen an den Tischen.

Die Beamten von der Transportabteilung wiesen die Zossener bald in ihre Unterkünfte ein. Als sie sich durch die Straßen schleppten, winkten ihnen die Theresienstädter zu, man freute sich sie nach der langen Abwesenheit wieder zu sehen.

Am 3. März besuchte Obersturmbannführer Adolf Eichmann, aus Berlin kommend, das Getto. Er fuhr mit seinem schweren, gepanzerten Auto durch die Stadt. Was er sah, schien ihm zuzusagen. Gelegentlich nickte er beifällig bei der Besichtigung der bestehenden Einrichtungen und meinte zum Kommandanten Rahn:

»Das hier muss jedem gefallen, der es zu Gesicht bekommt. Man kann es durchaus verantworten, dass internationale Vertreter des Roten Kreuzes Einblick in das Leben der Judengemeinschaft bekommen!«

Rahn schlug seinem Vorgesetzten vor, sich den eben fertig synchronisierten Theresienstadt-Film anzusehen. Eichmann sagte interessiert zu. Der Film wurde im Kasino der Bodenbacher Kaserne gezeigt. Er schien dem Herren über Leben und Tod der Juden sehr zuzusagen, denn er klatschte Beifall.

Eichmann ordnete an, dass die Toten nicht mehr zu verbrennen seien, da nur Erdbestattung den jüdischen Religionsvorschriften entspreche. Die Gräber wurden dort angelegt, wo man 1942 aufgehört hatte, als die Verbrennungen begannen. Das riesige Massengrab war geschönt worden. Einen kleinen Hügel neben dem anderen hatten Arbeiter anhäufen müssen, um so Einzelgräber vorzutäuschen.

Erneut wurden Verschönerungen angeordnet und die Theresienstädter konnten sich an den Fingern abzählen, dass wieder einmal eine Besichtigung des Gettos bevorstand. Probeweise gingen zwei hohe SS-Offiziere die Unterkünfte ab, sahen sich alles sehr genau an, richteten gezielte Fragen an die Bewohner der Quartiere, fragten nach dem Befinden der Angehörigen und wurden mit den Gegenfragen nach dem Verbleib der verschickten Kinder konfrontiert.

Man erkannte, wie gefährlich Gespräche mit

den Gettobewohnern waren, und ordnete an, Besucher nur durch menschenleere Quartiere zu führen.

Auf Befehl der SS wurde ein tschechisches Kinderstück einstudiert. Alles, was für die Aufführung nötig war, von der Farbe über die Kulissen bis hin zum Stoff für die Kostüme, war bereitgestellt. Und mit einem Mal war die tschechische Sprache im Getto wieder zugelassen.

Anfang April kamen einflussreiche Herren aus Berlin, an ihrer Spitze Obersturmbannführer Eichmann. Er begleitete einen Delegierten des Internationalen Roten Kreuzes sowie einen Schweizer Diplomaten. Einige Herren der deutschen Diplomatie eskortierten Eichmann.

Das Ergebnis dieser Besichtigung, bei der die Herren der Kommission nicht einen Gettobewohner sprechen konnten, war die Mitteilung, dass die dänischen Juden entlassen würden.

Diese Nachricht schlug ein wie eine Bombe.

David hatte wieder einmal als einer der Ersten die gute Botschaft erfahren. Bei der Bedienung der Offiziere schnappte er die ersten Brocken auf, wurde neugierig und versuchte mehr in Erfahrung zu bringen. Es gelang ihm. Sofort dachte er an Jossele und daran, wie er schnellstens Frau Borg informieren könnte, doch bis dahin dauerte es noch Stunden. Zum Ende seines Dienstes war er so unaufmerksam, dass er vergaß den Ascher auf dem Clubtisch zu reinigen. Einer der Offiziere erinnerte ihn durch einen Schlag in das Gesicht an seine Pflicht. David nahm sich zusammen. Den Rest des Dienstes tat er so servil, wie der Dienst es verlangte.

Nach Mitternacht war es, als Frau Borg aus dem Schlaf gerissen wurde und hochschreckte. Das heftige Klopfen an der Tür weckte auch die Kinder. Sie begannen zu weinen und Frau Borg suchte sie zu beruhigen. Zaghaft ging sie zur Tür und öffnete sie, um sofort erleichtert aufzuatmen, als sie David erkannte.

»Ach, du bist es! Ich malte mir schon die schrecklichsten Bilder aus. Komm herein!«

David folgte der Aufforderung. Die Kinder erkannten ihn und sofort waren sie still. Jossele sprang aus dem Bett und lief ihm entgegen. Er sprang David an und der fing ihn auf und wirbelte mit ihm durch die Stube. Dann warf er ihn zu den anderen Kindern auf das Bett und versprach: »Wenn ihr jetzt schnell wieder einschlaft, dann komme ich morgen und erzähle euch eine schöne Geschichte!«

Sofort kniffen die Kinder die Augen zu und stellten sich schlafend. Nur Jossele blinzelte David an: »Aber nicht vergessen! Versprochen ist versprochen!«

Leise berichtete David Frau Borg, was er gehört hatte.

Sie lauschte staunend. »Schade«, sagte sie schließlich, als David still wurde, »schade, dass mein Mann das nicht mehr erleben darf. Wie hätte der sich gefreut!«

David streichelte der Frau über die Hände. Er wusste, dass Herr Borg an einer Lungenentzündung gestorben war. Sie unterdrückte resolut die Tränen und sagte: »Und was machen wir mit Jossele?«

»Das wollte ich mit Ihnen besprechen, Frau Borg! Wäre es nicht möglich, dass . . .«

». . . ich ihn mitnehme, wenn es so weit ist«, unterbrach sie ihn und schaute hinüber zu dem breiten Bett, in dem die Kinder lagen.

»Keine Frage, wenn es irgendwie möglich ist! Jossele ist mir lieb geworden und meine Kinder mögen ihn sehr. Ich werde mit dem Rabbiner reden, er wird vielleicht einen Weg wissen!«

»Sagen Sie dem Rabbi, er soll schweigen. Es darf nicht bekannt werden, dass man von der Entlassung weiß, bevor sie die SS verkündet!«

Da lächelte Frau Borg: »Glaubst du, ich bin schwachsinnig? Du kannst sicher sein, wir können schweigen!«

David verabschiedete sich und ging leise die Treppe hinab. Als er dann auf seinem Lager lag, ließen ihn überstürzende Gedanken nicht einschlafen. Lange Stunden lag er wach. In ihm wuchs die Hoffnung die Gettozeit überleben zu können.

Die Herren vom Schwedischen Roten Kreuz trafen mit gepflegten Bussen am Morgen des 12. April in Theresienstadt ein. Mit ihnen war Doktor Kasztner gekommen. Er stammte aus Budapest und war vom jüdischen Rettungskomitee beauftragt worden die Entlassung der Dänen zu überwachen.

240

Obersturmführer Rahn empfing die Herren in seinem protzigen Dienstzimmer. Höflich grüßend legte er die Hand an die Mütze und lud die Gäste ein sich zu setzen und eine Tasse Kaffee zu trinken.

Die Schweden lehnten ab. Sie wollten so viel wie möglich von Theresienstadt sehen, und dies schnell.

»Ihr Wunsch ist mir Befehl, meine Herren«, gab der Kommandant nach und begleitete sie hinaus auf die Straße. Vor dem Tor stand wartend der Judenälteste, Doktor Murmelstein. Er war schon vor mehr als einer Stunde herbefohlen worden. Der Kommandant stellte die Herren vor und befahl Doktor Murmelstein die Führung durch Theresienstadt zu übernehmen. Der kannte den Befehl schon längst und führte die kleine Gruppe an. Zunächst gingen sie zum Haus des Judenrates. Vor dem Eingang stand ein Polizist der Gettopolizei. Als er die Gruppe erblickte, stand er stramm und grüßte militärisch korrekt.

Doktor Murmelstein begleitete die Herren durch die riesige Bibliothek. Staunend standen sie vor den fünfzigtausend Büchern, die im Lauf der Jahre aus allen jüdischen Gemeinden zusammengetragen worden waren.

Sie besichtigten das Gemeinschaftshaus in der Westgasse. Hier war im Rahmen der Verschönerung eine Bühne entstanden. Als die Herren der Kommission den Saal betraten, kamen sie gerade rechtzeitig zu einer Veranstaltung. Sänger mit guten Stimmen standen auf der Bühne. »Ich hab ein Diwanpüppchen, süß und reizend wie du«, sang das Buffopaar aus Paul Abrahams »Blume von Hawaii«. Der Beifall, der auf die Darbietung folgte, wollte nicht enden. Immer wieder mussten die Sänger vor den Vorhang treten und sich verbeugen.

Im Nebenraum war eine Filmvorführung vorbereitet. Der Theresienstadtfilm flimmerte bald über die Leinwand und gaukelte den neutralen Herren ein idyllisches Gettoleben vor, das es in Wirklichkeit nie gegeben hatte. Die Herren waren begeistert.

Den Mann aus Budapest aber konnte die SS nicht um den Finger wickeln. Er wusste mehr über das wahre Leben im Getto.

In einem sehr gepflegt eingerichteten Raum im Gemeinschaftshaus wurde das Abendbrot gereicht. Die Offiziere bemühten sich den Neutralen einzureden, dass Theresienstadt ein »Mustergetto« sei.

Nebenbei ließ der Mitarbeiter Eichmanns, Obersturmbannführer Krummei, in das Tischgespräch einfließen, dass Theresienstadt kampflos übergeben würde. Dies sei erst kürzlich in Berlin beschlossen worden.

Die Besucher horchten auf und versicherten wie aus einem Mund, dass sie diese Information sofort nach Rückkehr in die Heimat ihren Regierungen weiterleiten würden.

Am nächsten Tag zogen die Dänen in die Schleuse, die in der Jägerkaserne eingerichtet

242

war. Obwohl die Gettopolizei wie auch die Gendarmen sich sehr mühten, Ordnung in den wirren Haufen der durcheinander laufenden Menschen zu bringen, gelang es ihnen nicht.

Niemand ahnte, dass dieses Durcheinander ein inszeniertes Durcheinander war. Frau Borg schaffte es, Jossele mit ihren eigenen Kindern in die Schleuse zu bringen.

Die Stadtkapelle spielte flotte Weisen, als die Dänen aus der Schleuse kamen und in die schwedischen Autobusse stiegen. Vom nahe liegenden Südberg her winkten Abschied nehmend die Zurückbleibenden. Sehr viele Menschen waren gekommen.

Die tschechischen Gendarmen sperrten den Platz, auf dem die Busse standen. Niemand durfte sich den Abreisenden nähern. Nach etwa einer Stunde gab der Kommandant den neutralen Begleitern das Zeichen zur Abfahrt.

Die Stadtkapelle spielte: »Muss i denn zum Städtele hinaus«, der Kommandant grüßte stramm und die Busse setzten sich in Bewegung. Bald waren sie nur noch von denen zu sehen, die auf der Anhöhe des Südberges standen. Dann waren sie auch deren Blicken entschwunden.

An diesem Tag hob der Kommandant Rahn das Rauchverbot für die Juden auf.

Das eingespielte Räderwerk des Gettos drehte sich, dank der guten Arbeit der jüdischen Selbstverwaltung, fast geräuschlos. Die unbeschreibbare Angst vor der allmächtigen SS begann nachzulassen. Die Juden waren nicht mehr unterwürfig gehorsam. Die SS erkannte dies und akzeptierte es, hielt sich zurück und überließ der Selbstverwaltung die Leitung der Stadt.

In der Nacht vom 17. auf 18. April machte schnell, wie es Gerüchte an sich haben, die Parole die Runde: Der Krieg ist aus!

Ein Jubel aus Tausenden von Kehlen ließ die Bewacher ahnen, was geschehen würde, wenn die Juden frei waren. Alle Gettobewohner verließen ihre Unterkünfte, rannten auf die Straßen, umarmten sich, lachten und weinten in einem und tanzten wie toll herum.

Bald aber kam die Ernüchterung. Die Menschen waren einer Falschmeldung aufgesessen. Der Kommandant fand in jener Nacht die rechten Worte. Sie schüchterten ein wenig ein, beruhigten aber auch und ließen die Hoffnung auf ein baldiges Kriegsende nicht ganz schwinden.

Alle gingen straffrei aus. Jeder kehrte zurück in seine Unterkunft. Dort saßen die Menschen, bis der Morgen kam, redeten und gaben ihrer Hoffnung Ausdruck, dass die Macht der SS bald gebrochen sei.

Den Geburtstag ihres Führers Adolf Hitler feierten die Soldaten und Offiziere der SS gemeinsam in den Räumen des Kameradschaftsheimes. David und die anderen Ordonnanzen hatten an jenem Abend viel zu tun. Es wurde mächtig getrunken, so viel, dass kaum einer der Feiernden noch gerade stehen konnte. Und doch war diese Feier anders als die anderen, die David bisher erlebt hatte. Es kam diesmal nicht die lärmende Heiterkeit auf, die sonst die SS-Feste auszeichnete. Die Männer waren stiller und schienen bedrückt, das konnte auch der Alkohol nicht ändern.

Am nächsten Tag, dem 21. April 1945, kam der Beauftragte des Internationalen Roten Kreuzes, der Schweizer Paul Dunant, wieder im Getto an. Der Kommandant begrüßte ihn höflich, wollte ihn in sein Dienstzimmer einladen, aber der Gast verlangte, so schnell wie möglich den Ältesten des Judenrates vorgestellt zu werden.

Der Kommandant gab Befehl die »Herren Juden« zusammenzurufen.

Die kamen und lauschten aufmerksam, was der Schweizer ihnen zu sagen hatte.

»Im Auftrage des Internationalen Roten Kreuzes habe ich Ihnen, sehr geehrte Herren, folgende Erklärung abzugeben: ›Das jüdische Siedlungsgebiet Theresienstadt erhält Unterstützung des Internationalen Roten Kreuzes in jeder Hinsicht.‹ Mit allen Fragen, die auch nur entfernt mit Theresienstadt zusammenhängen, bin ich persönlich betraut.

Jeder einzelne Einwohner Theresienstadts muss in voller Verantwortung für die Gemeinschaft das Seine tun, um den geregelten Gang aller notwendigen Arbeiten in der Stadt zu sichern und an der Aufrechterhaltung von Ruhe und Ordnung mitzuwirken!« Er machte eine Pause und blickte die Ältesten fordernd an. »Ich bitte Sie, meine Herren, dies sobald als möglich den Bewohnern Theresienstadts mitzuteilen. Ich hoffe, dass ich mich darauf verlassen kann!«

Eilfertig sagten die Ältesten dem Herrn aus der Schweiz dies zu. Das Gespräch dauerte bis zum späten Abend. Am nächsten Morgen, so versprachen die Ältesten, solle die Mitteilung an den Aushängen angebracht sein.

Gegen Mitternacht erklang auf der Straße laut der Ruf: »Das Getto ist frei! Wir stehen unter dem Schutz des Roten Kreuzes!«

Ein wildes Durcheinander, ein echtes Tohuwabohu spielte sich in den nächsten Stunden ab. Männer besuchten ihre Frauen in deren Kasernen, Frauen die Männer in ihren Unterkünften. Man versuchte genaue Informationen zu erhalten, aber die Herren des Judenrates taten, als wüssten sie von nichts. Sie hielten sich an die Zusage, die Information erst in den Morgenstunden bekannt zu machen.

Einer der Männer aus den »arisch versippten Familien« brachte den Mut auf, sich an Obersturmführer Rahn zu wenden. Er bat ihn um Auskunft, um die Unruhe im Getto zu besänftigen. Der Kommandant sagte zu. In seiner Uniform trat er vor die aufgeregten Massen. Beschwichtigend hob er die Hand. Langsam trat Ruhe ein. Nur das matte Licht der Laternen beleuchtete die Szene.

»Meine Herren«, begann der Kommandant und erregte mit diesen Worten staunende, ungläubige Aufmerksamkeit. Man nannte sie, die jahrelang nur die »verfluchte Judenbrut« gewesen waren, »meine Herren«!

»Meine Damen und Herren«, verbesserte sich Rahn, »das Internationale Rote Kreuz hat mit dem heutigen Tage das jüdische Siedlungsgebiet Theresienstadt für extraterritorial erklärt und Herrn Paul Dunant mit der Leitung beauftragt. Bis zur Auflösung des Gettos haben sich alle Bewohner an die bestehende Ordnung zu halten. Beweisen Sie durch Ihr Verhalten, dass Sie bereit dazu sind. Ich werde auf dem Platz, auf den ich befohlen wurde, bis auf weiteres ausharren!«

Man war überrascht über das Benehmen des Kommandanten. Obwohl er sich in den letzten Monaten recht korrekt verhalten hatte, diese Wandlung kam unerwartet.

Schon in den nächsten Tagen machte sich Unmut bemerkbar. Als wegen des fehlenden Nachschubs die Brotrationen radikal gekürzt werden mussten, lasteten die Theresienstädter dies dem Roten Kreuz an. Die verrücktesten Gerüchte kursierten und wurden als Wahrheit aufgenommen. Immer noch kam Angst vor Massenmorden durch die SS auf, obwohl die sich kaum mehr sehen ließ.

Zu Tausenden schwankten nun elende Jammergestalten in das Getto. Es waren Menschen, die auf endlosen Hungerfahrten durch die weiten Lande des Ostens transportiert worden waren oder die Todesmärsche von anderen Lagern her halb verhungert und krank überlebten.

In Theresienstadt griff eine Untergangsstimmung um sich, wie sie nie vorher bestanden hatte.

Um die Gefahr von Epidemien so gering wie möglich zu halten, wollten die Zuständigen für die Ordnung die Neuankommenden isolieren. Im Eiltempo wurden die Hamburger und die Dresdener Kaserne geräumt um in ihnen Platz für die Seuchenverdächtigen zu schaffen. Schon nach Stunden waren die Kasernen überbelegt. Ununterbrochen fluteten neue Massen aus den geräumten Konzentrationslagern herein. Auch Kriminelle waren darunter, und mancher alte Gettobewohner wagte sich in diesen Tagen des Zusammenbruchs nur noch mit einem Knüppel bewehrt aus seiner Unterkunft.

Sobald die Unterkünfte überfüllt waren, mussten die Kranken und Schwachen unter freiem Himmel kampieren. Als man sie in die Stollen der Kasematten führen wollte, lehnten sie schreiend vor Angst ab. Sie meinten, in diesen Gängen ermordet zu werden, um dort ihr Grab zu finden. Sie glaubten, wenige Stunden vor der Befreiung durch Giftgas sterben zu müssen.

Um den 25. April herum wurde unter den Neuzugängen Flecktyphus festgestellt. Auch die alten Theresienstädter blieben von der Seuche nicht verschont. Schließlich waren viele tausend Menschen erkrankt und starben weg wie die Fliegen.

In diesen Tagen zogen die Ordonnanzen des Kameradschaftsheimes die weißen Jacken aus. Die SS benötigte ihre Diener nicht mehr.

David sah seine Entlassung mit einem lachenden und einem weinenden Auge. Sofort suchte er Vera auf. Die hörte Davids Bericht schweigend an und fragte schließlich: »Und was wirst du nun tun?«

Er zuckte mit den Schultern. »Ich weiß nicht. Nichts, wie fast alle im Getto, seitdem das große Durcheinander da ist!«

»Meinst du, das würde dir liegen?«

»Warum nicht? Es kann sich ja alles nur noch um Tage handeln, dann sind die Russen da und der braune Spuk ist vorüber!«

»Wenn du willst, kann ich fragen, ob du im Kinderblock arbeiten kannst. Gebrauchen kann man immer noch jemanden!« Vera sagte es hastig und schien sehr in Eile. Als David sie in die Arme schließen wollte, lehnte sie brüsk ab. »Dazu ist jetzt keine Zeit, David! Komm morgen vorbei, wenn ich frei habe, dann ist mehr Ruhe!« Sie rannte die Treppe hinauf, drehte sich noch einmal kurz um und rief ihm zu: »Du musst schon entschuldigen, aber eine Menge Kinder sind krank!«

Auf dem Weg ins Jugendheim kam David an den auf der Straße liegenden Kranken vorbei. Er sah die verhungerten Gestalten wie Knochengerippe in ihren zerrissenen gestreiften KZ-Kitteln, blieb eine Weile nachdenklich stehen und sah den Helfern zu, die sich um die Elenden kümmerten.

Als er einen der zionistischen Fürsorger erkannte, der neben einem Sterbenden kniete und ihm einen Becher Wasser reichte, überlegte er nicht lange. Impulsiv, wie so oft in seinem Leben, sprach er den anderen an, als der sich aufrichtete. »Du kennst mich doch noch. Ich bin David, bin zusammen mit Vera aus dem Kinderblock!«

»Ahoj«, erwiderte der Fürsorger. »Ich kenne dich. Du bist bei den SS-Banditen als Schlatenschammes!«

David grinste. »War! Das ist das richtige Wort. Sie haben uns weggeschickt!«

»Dann machen die sich bald aus dem Staub. Sie verdrücken sich, bevor wir den Mut haben sie am nächsten Baum aufzuknüpfen!« Er sah David von oben bis unten an und fragte dann: »Und was kann ich für dich tun? Red schnell, du siehst, hier ist Arbeit, mehr als genug!«

»Wo muss ich mich melden, wenn ich hier helfen will?«

Der andere sah David ungläubig an. »Wenn ich richtig gehört habe, bist du an der richtigen Adresse. Melde dich in der Hamburger beim Doktor Schächter und sag ihm, ich hätte dich geschickt!« Er beugte sich über den nächsten Kranken und schien David vergessen zu haben. David ging weiter, er war schon ein paar Schritte weit, als der Chawer ihm nachschrie: »Aber sieh dich vor. Das ist eine heimtückische Krankheit!«

Wohin David auf seinem Weg in das Jugendheim auch blickte, überall lagen wie Lumpenbündel die Kranken und Sterbenden auf den

Gehsteigen und in den Hauseingängen. Mit einem Mal war ihm speiübel und er fror wie im Winter. Er entschloss sich, nicht bis zum nächsten Tag zu warten, und machte sich auf den Weg zu Doktor Schächter.

Er fand ihn in der Hamburger Kaserne.

»Dich schickt der Himmel«, sagte der Arzt, »ich habe schon geglaubt, dass in diesem verfluchten Getto jeder ein Herz aus Stein hat. Wir können jede Hand gut brauchen. Nimm dir einen Eimer Tee und gehe die Reihen der Kranken ab, gib ihnen zu trinken, so viel sie wollen, die haben Durst!« Und nach einer Weile fügte er hinzu: »Es ist sowieso nur wenig, was wir für sie tun können!«

David griff sich von einem Essenswagen, auf dem Eimer und Kannen standen, Eimer und Schöpfkelle und ging die Reihen der Kranken entlang. Doktor Schächter schrie ihm nach: »Und aufpassen, Freund! Körperlichen Kontakt vermeiden und nicht vergessen dich immer wieder zu desinfizieren. Lysol steht an der Tür!«

Täglich kamen im Getto neue Transporte an. Menschen, die wie Tiere geworden waren. Seit Wochen waren sie unterwegs gewesen. In den Waggons hatten sie zu zweien oder dreien überlebt, während die anderen fünfzig nach und nach starben. Verhungert, verdurstet. In den Augen der Überlebenden brannte kalter Hass. Hass gegen alle und alles. Sie rauften sich um jedes Stück Brot, stachen mit selbst geschliffenen Messern um sich. Andere fielen vor Entkräftung um. Sie blieben liegen. Niemand kümmerte sich um sie.

Viele der alten Theresienstädter schienen vergessen zu haben, dass sie selbst einmal gehungert hatten. Sie blieben für sich in ihren Stuben.

In ihnen hockte die Angst, der Seuche auch noch in den letzten Stunden des Krieges zum Opfer zu fallen. Sie verhärteten sich, wurden zu lebensverachtenden Egoisten.

Als David einmal am nächsten Tag eine halbe Stunde Zeit fand, lief er zum Kinderblock. Er traf Vera vor dem Haus. Sie nahm sich ein paar Minuten frei und atmete tief die frische, klare Frühlingsluft. David drückte sie an sich und sie erwiderte seinen Kuss, glücklich ihn zu sehen. Als sie sich aus seinen Armen löste, sagte sie: »Du riechst aber gemein nach Krankenhaus!«

»Desinfektionsmittel, Vera! Ich habe gestern noch in der Hamburger angefangen. Sie brauchen für die armen Teufel Helfer. Du kannst dir nicht vorstellen, wie es da zugeht, Vera. Die sterben so schnell, wie man einer Kerze das Licht ausbläst!« Und wie entschuldigend fügte er hinzu: »Ich konnte nicht anders, Vera, ich musste helfen!«

Da drückte sie David ganz fest an sich, küsste immer wieder Augen und Mund und sagte dann: »Daran erkenne ich meinen David!«

Bald mussten die zwei sich trennen. Vera ging zurück zu ihren Kindern, David beeilte sich in die Hamburger Kaserne zurückzukommen. Er kam gerade recht um Zeuge eines Ereignisses zu werden, das ihm Schauder der Angst über den Rücken trieb. Eine Horde verrohter Häftlinge kam in den Krankensaal gestürmt. Drohend schauten sie sich nach allen Seiten um, drangen auf die Genesenden ein, rissen ihnen das Brot aus den Händen, traten die Kranken mit Füßen, stopften sich das Brot so gierig in den Mund, dass große Brocken zu Boden fielen, und waren schon bei dem nächsten Kranken um auch ihm das Brot zu entreißen.

Jeder im Saal verhielt sich still. Alle hatten große Angst vor den Räubern und atmeten erst wieder auf, als diese die Kaserne verließen.

Die SS-Bewacher zogen am 5. Mai aus Theresienstadt ab. Dieser Abzug geschah, ohne großes Aufsehen zu erregen, in aller Stille. Nur der Kommandant blieb noch im Getto und verließ sein Dienstzimmer erst in den Abendstunden. Unbewaffnet floh er aus der Stadt.

In den Morgenstunden des 6. Mai standen die Juden auf den Straßen und reckten die Köpfe hin zum Rathaus, auf dessen Turm seit Bestehen des Gettos die SS-Fahne gewcht hatte. Sie streckten die Arme zum Turm und konnten es kaum fassen, dass die schwarze Fahne mit den blitzähnlichen Runen fort war.

Einige Stunden später wehte am Fahnenmast des Rathausturmes die Flagge des Roten Kreuzes.

Die Menschen im Getto tanzten vor Freude. Sie rissen sich die gelbe Kennzeichnung, den Judenstern, von den Kleidern, warfen die Fetzen in die Gosse und trampelten auf ihnen herum.

Herr Dunant ließ durch Anschläge mitteilen, dass man sich auch weiter ruhig verhalten solle. Den Anordnungen der Gendarmen und der jüdischen Sicherheitskräfte sei unter allen Umständen Folge zu leisten. Zum letzten Mal wurde am späten Abend des 6. Mai eine Häftlingsgruppe von 2000 Männern aufgenommen. Herr Dunant, der ruhelos, ohne an sich selbst zu denken, immer unterwegs war, hatte sie, in Viehwaggons eingesperrt, auf verschiedenen Verladebahnhöfen gefunden. Kaum noch war Leben in diesen Menschen, als sie in das Getto gebracht wurden. Viele von ihnen starben an den Folgen des Hungers.

Es kamen aber auch noch Kriegsgefangene westlicher Heere nach Theresienstadt. Sie fielen jedoch nicht zur Last, denn sie waren gesund.

Der 7. Mai sah fröhliche Menschen auf dem Rathausplatz. Die Musikkapelle spielte flotte Märsche der siegreichen Nationen. Mancher Ton kam falsch aus den Instrumenten, denn es fehlte an Zeit für Proben.

Die befreiten Menschen aber jubelten und feierten laut und so unbändig, dass die Gettopolizei aufgeregt nach den Schlagstöcken griff. Nur langsam kehrte in das wilde Toben Ruhe ein, als Paul Dunant auf den Balkon des Rathauses trat, auf den Balkon, auf dem in den langen Jahren der Naziherrschaft die Kommandanten gestanden hatten.

Beschwichtigend winkte Dunant mit den Händen, um Ruhe bittend. Dann sagte er nur zwei Sätze: »Deutschland hat bedingungslos kapituliert! Sie sind frei, meine Damen und Herren!«

Er sagte diese Sätze in deutscher und französischer Sprache.

Zuerst blieben die Menschen stumm. Sie standen wie angenagelt. Dann aber brach ein Tumult los, wie man ihn nicht beschreiben kann. Die Menschen fielen sich in die Arme, sie weinten und lachten in einem. Andere kehrten sich nach Osten, dorthin, wo die heilige Stadt der Juden, Jerusalem, lag, und sprachen Dankgebete.

Nur zögernd, sehr langsam und fast widerwillig verließen die fröhlich Feiernden den Rathausplatz. Zahlreiche von ihnen konnten immer noch nicht recht glauben, dass die grausame Zeit für sie nun vorüber sein sollte.

Und sie hatten Recht, sie war auch noch nicht völlig vorbei.

Am nächsten Tag wurde Theresienstadt zum Kampfgebiet. Versprengte deutsche Soldaten vagabundierten vor dem Getto herum und marschierten mit schwerem Geschütz selbst durch die Umgehungsstraßen am Rande des Gettos. In das eigentliche Getto aber drangen sie nicht ein. Auch SS wurde bei diesen versprengten Soldaten gesehen. Von den Männern, die zur Bewachung des Gettos gehört hatten, war niemand darunter.

Rings herum donnerten und barsten die Einschläge der Granaten. Von der jüdischen Selbstverwaltung wurde der Befehl gegeben die Häuser nicht zu verlassen, da dies wegen der Kämpfe in der unmittelbaren Umgebung zu gefährlich sei. Offenes Feuer sollte gelöscht werden um Brände zu verhüten. Kinder mussten in Kellern die Beendigung der Kampfhandlungen abwarten.

Ganz früh am Morgen, die Sonne war noch nicht über den Horizont gestiegen, schossen deutsche Geschütze in das Getto. Sie trafen das Krankenhaus in der Hohenelber Kaserne.

Gegen Abend zerstörte eine russische Granate das Haus einiger prominenter ehemaliger Häftlinge in der Nähe des Bauhofs in der Bahnhofstraße. Die kräftigen Jugendlichen aus dem Jugendheim stiegen mit den tschechischen Gendarmen in die Trümmer und räumten mit bloßen Händen den Schutt beiseite. Sie fanden einen alten Offizier der k. u. k. österreichischen Armee. Die Trümmer hatten ihn erschlagen. Er erlebte die ersten Stunden der Freiheit nicht mehr.

Einen holländischen General, der in der Prominentenstube neben dem Österreicher gewohnt hatte, gruben sie lebend aus.

Bis gegen zehn Uhr dauerte der Beschuss noch an, dann hörte man am lauten Geräusch der klirrenden Panzerketten, dass die deutschen Panzer abzogen. Sie entfernten sich in Richtung auf Prag.

Kurz darauf brauste ein Ruf durch die Gassen und ging weiter von Haus zu Haus, von Unterkunft zu Unterkunft: »Die Russen sind da!«

Die Befreiten stürmten auf die Straßen, sie kamen in Massen, hielten Blumen in den Händen, die sie aus den Treibhäusern gestohlen hatten, in denen diese Blumen für die SS angepflanzt worden waren, und warfen sie den Befreiern zu. Sie sprangen auf die vorbeirollenden Panzer, umarmten die russischen Soldaten und schrien sich vor unsagbarer Freude die Kehlen heiser.

In das Getto selbst zogen die russischen Truppen am Morgen des 9. Mai ein.

Auch hier freudige Menschen an den Straßen, Winken, Blumen, Tränen. Aber nicht nur die Menschen an den Straßenrändern weinten, die jungen Russen in ihren erdbraunen Uniformen konnten ebenfalls die Tränen nicht zurückhalten, als sie die Menschen in den zerschlissenen Kleidern, Lumpen gleich, sahen.

Von ihren kargen Rationen warfen sie Zigaretten, Tabak, Brot und Bonbons in die Menge. Szenen der Verbrüderung spielten sich ab. Die tschechischen Juden waren die Könige in jenen ersten Stunden der Befreiung. Sie konnten sich ein wenig mit den russischen Soldaten verständigen. Mit Händen und Füßen redeten die Juden auf die Russen ein, versuchten ihnen begreiflich zu machen, was hier geschehen war, und mussten schließlich einsehen, dass die Fantasie der Soldaten nicht ausreichte sich das Leiden der Juden vorzustellen.

Der Verdunkelungsbefehl wurde aufgehoben. An jenem ersten Abend nach der Befreiung waren die Straßen taghell erleuchtet. Überall auf den Straßen, in den Höfen, in den Parks brannten Lagerfeuer.

Lachende, singende Menschen saßen beieinander. Flaschen mit Schnaps wanderten von Hand zu Hand. In allen Sprachen wurde wild durcheinander geredet. Englische und französische Kriegsgefangene kamen hinzu und verbrüderten sich mit den Russen.

Bald schon fuhren die ersten Juden mit den Befreiern auf deren Panzern zur Landstraße. Sie wollten die Reste der geschlagenen deutschen Wehrmacht sehen. Die entwaffneten deutschen Soldaten schlichen langsam, mit gesenkten Köpfen ins Gefangenenlager.

Die befreiten Juden standen wie hypnotisiert. Sie konnten es nicht begreifen, dass die unbesiegbar geglaubten Deutschen geschlagen sein sollten. Sie starrten dem Zug der Gefangenen nach.

Am Straßenrand standen Lastwagen der Wehrmacht. Sie waren voll beladen bis unter die Plane. Fleischkonserven, Kaffee, Schokolade befanden sich auf ihnen. Die Befreiten schleppten von den Köstlichkeiten mit, so viel sie tragen konnten.

Vera war mit David zum Stadtpark gekommen. Auch hier auf dem Rasen brannten die Lagerfeuer mit heller Flamme. Die russischen Soldaten sangen ihre traurigen Lieder. Herrliche Stimmen waren unter den Sängern.

David setzte sich ans Lagerfeuer zu den Sängern. Er zog Vera, die neben ihm stehen blieb, am Kleid zu sich herab. Auch Vera lauschte den schönen Stimmen wie gebannt.

»Weinst du?«, fragte sie David, als sie sah, dass der sich die Augen wischte.

»Ach, was du so denkst«, erwiderte der, »das macht der Rauch vom Lagerfeuer!«

Vera drückte ihm die Hand. Sie verstand ihn und zeigte es ihm deutlich. Da senkte David den Kopf in den Schoß und heulte sich alles heraus, was ihn bedrückte. Vera blieb still neben ihm. Sie ließ ihn weinen, hielt sich zurück.

Ein junger Offizier setzte sich zu ihnen. Er schien die zwei beobachtet zu haben und reichte David nun eine Flasche Wodka: »Trink, Bruder, Wodka macht das Leben erträglicher! Du solltest nicht weinen. Freue dich lieber, Grund genug hast du doch!«

David sah dem Russen ins Gesicht, wischte die Tränen ab und nahm die Flasche. Er setzte sie an den Mund und trank einen gewaltigen Schluck. Sofort begann er zu husten und bekam keine Luft.

Der Russe lachte, klopfte ihm heftig den Rücken, so lange, bis David lachend bat: »Gut, gut, Bruder, genug!«

Der Offizier schüttelte Vera die Hand: »Ich bin Oberleutnant Leonid Malachow! Wie ist dein Name?«

Vera drückte die Hand des Russen sehr fest. »Ich bin Vera Schorr und der hier neben mir heißt David Rosen!«

David gab dem Offizier den Wodka zurück und reichte ihm die Hand.

»Du sprichst aber gut die deutsche Sprache«, sagte er bewundernd.

Leonid lachte und zeigte dabei eine Reihe makelloser Zähne. »Das habe ich in Moskau auf der Schule gelernt!« Er nahm einen Schluck aus der Flasche. »Seid ihr zwei verheiratet?«, fragte er und sah Vera interessiert an. David wollte schon Nein sagen, doch Vera stieß ihm heimlich heftig in die Seite und David blieb still.

»Ja, Oberleutnant Malachow, wir sind Frau und Mann«, beschwindelte sie ihn und drohte David mit einem Blick, als der die Wahrheit sagen wollte. David sah den Blick und schwieg. Er hatte vollstes Vertrauen zu Vera.

Der Russe wölbte anerkennend die Lippen. »Ich gratuliere«, sagte er und fragte David: »Darf ich mit deiner Frau tanzen, Bruder?«

David erlaubte es. Der Wodka tat seine Wirkung.

Malachow erhob sich, gab dem Soldaten mit dem Akkordeon auf Russisch einen Befehl und der Musiker spielte mit flotten Fingern eine Polka. Ein wenig linkisch verbeugte der Offizier sich vor Vera, die stand aus dem Gras auf und dann tanzten die zwei durch den abendlichen Park, immer herum um das Lagerfeuer. Begeistert klatschten die russischen Soldaten den Takt zur Musik.

Gegen Mitternacht gingen Vera und David. Am Morgen wartete wieder die Arbeit auf sie.

Oberleutnant Malachow reichte ihnen die Hand.

»Es war ein schöner Abend, ich danke euch dafür. Und wenn ihr Probleme habt, kommt zu mir. Ich helfe, wenn ich helfen kann!«

In die Kleine Festung brachten die Tschechen bald nach dem Einmarsch der Russen deutsche Frauen und Männer aus den Städten herbei, die rings um Theresienstadt lagen. Die Menschen kamen ohne Gepäck, oftmals kaum bekleidet. Sie hielten ihre Kinder an den Händen oder trugen Säuglinge auf den Armen.

Als David die tschechischen Begleiter fragte, was mit diesen Menschen sei, die sie vor sich hertrieben, winkten diese nur ab. »Das muss dich nicht kümmern, das sind alles Nazis, die haben eine weit höhere Strafe verdient!«

David schaute der Gruppe nach, sah, wie sie hinter den Mauern der Kleinen Festung verschwanden, sah die weinenden Kinder an den Händen der Mütter und es stieg bitter wie Galle in ihm hoch. Er sah vor seinem inneren Auge, wie die jüdischen Kinder ihren Müttern entrissen wurden, wie man sie in die Viehwaggons pferchte und fortbrachte in Lager, wo sie ermordet wurden, bevor sie richtig gelebt hatten, und schüttelte energisch den Kopf. »Das Spiel spiele ich nicht mit! Mag sein, dass es Nazis sind, die sie herschleppen, die Kinder aber tragen keine Schuld!« Er nahm sich vor, so bald als möglich mit Vera über dies Problem zu reden, und ging in seinen Krankensaal um den Pflegedienst zu tun.

Am Nachmittag wurde er Zeuge, wie eine verhärmte Frau aus Polen einer deutschen Frau, die wie sie selbst im Krankensaal arbeitete, eine Tasse Kaffee verweigerte. »Nein, ich gebe dir keinen Kaffee. Du kannst verdursten und ich stehe dabei und lache, denn du und die anderen Nazis haben meine gesamte Familie umgebracht«, sagte sie zitternd vor Hass und spuckte die andere an.

Die Deutsche wehrte ängstlich die Hass sprühende Polin ab. »Ich habe keinem etwas Böses getan«, versicherte sie. »Ich war nur in der Partei, sonst nichts!«

Die Polin schickte sich an, erneut auf die andere loszugehen.

David stellte sich dazwischen, hinderte die Polin auf die Deutsche einzuschlagen und nahm sie beiseite.

»Kommen Sie, melden Sie sich in einer anderen Gruppe zur Arbeit«, sagte er und schob sie aus dem Saal.

»So geht das nicht, Wanda! Wollen wir so sein, wie die Nazis waren? Ist sie schuldig, soll ein Gericht richten, ist sie es nicht, hat niemand ein Recht sie zu behandeln, wie die Nazis uns behandelt haben!«

Wanda blitzte ihn mit hassglühenden Augen an und tippte an ihren Kopf. »Du bist verrückt. Die Deutschen sollen leiden für die Morde, sie sollen leiden wie ein Hund!« Und dann kreischte sie wie irr durch den Krankensaal: »Hass für Hass, Mord für Mord!«

David ließ sie stehen und tat seinen Dienst. Er war sehr unruhig an diesem Tag und sehnte den Feierabend herbei. Er musste dringend mit Vera reden.

Der Abend war angenehm mild, als er sich mit Vera vor dem Kinderblock traf. Sie spürte sofort, dass David Probleme mit sich herumtrug, mit denen er alleine nicht fertig wurde.

Sie kam gleich zur Sache. »Sprich dich aus, Junge, zwei können mehr tragen als einer allein!«

Und David sprach sich aus. Er berichtete ihr von dem traurigen Zug der Kinder in die Kleine Festung. Berichtete, wie hart die Tschechen auf Frauen und Männer eingeschlagen hatten, und dann sagte er: »Alles das erinnerte mich an die Nazis. Wir können doch nicht deren Methoden anwenden, Vera, das geht doch nicht. Dann sind wir auch nicht besser als die braunen Bestien. Sage mir, was wir tun sollen, Vera, hilf mir!« Das alles klang wie ein Hilferuf und Vera verstand diesen stillen Schrei.

Sie waren im Stadtpark angekommen. »Setzen wir uns ein wenig, David«, bat sie und sie setzten sich auf eine Bank. »Was hältst du davon, wenn wir nicht auf die Repatriierung warten, sondern auf eigene Faust das Getto verlassen? Wir wären nicht die Ersten, die einfach verschwinden!«

David horchte auf. Interesse glomm in seinen

Augen auf. »Das wird nicht leicht, Vera! In Deutschland ist alles zerstört und es geht drunter und drüber!«

»Leicht ist es nicht, Junge, aber wenn wir zusammenhalten, kann uns nicht viel geschehen. Wir halten uns an die Besatzungsmächte, lassen uns von einem Stadtkommandanten zum anderen weiterreichen. Und wir sind schneller daheim, als wir vielleicht denken!«

»Ich möchte schon verschwinden, Vera! Ich kann einfach nicht so hassen, ich habe erkannt, dass Hass immer wieder neuen Hass hervorbringt, und ich will endlich neu anfangen!«

Vera schmiegte sich an David. »Mit mir?«, fragte sie schmeichelnd und er antwortete ihr: »Nur mit dir, Vera!«

»Dann lass uns nicht lange überlegen. Meine Kinder werden in der nächsten Woche nach England zu Familien gebracht, die sie adoptieren werden. Ich kann das Getto verlassen ohne ein schlechtes Gewissen zu bekommen!«

»Und wie wollen wir es anstellen? Hast du schon eine Idee?!«

In David kam schon wieder Zögern auf, aber Vera nahm ihm die Angst, als sie sagte: »Wir bitten Oberleutnant Malachow uns zu helfen. Er hat es uns angeboten, weißt du noch?«

David erinnerte sich. »Gut, die Idee! Der Malachow war freundlich. Wann gehen wir zu ihm?«

Zielstrebig erwiderte Vera: »Was wollen wir lange warten. Gehen wir heute noch zu ihm, es ist noch nicht zu spät und die Russen sind lange wach!«

Langsam schlenderten sie durch den Park dem Rathaus zu, in dem sich nun die sowjetische Kommandantur befand. Sie fragten sich zu Oberleutnant Malachow durch und trafen ihn schließlich vor dem Radio im Offizierskasino. Freundlich lud er die zwei ein sich zu setzen, bot ihnen Zigaretten an und rauchte allein, als keiner zulangte. Aufmerksam hörte er zu, was Vera ihm berichtete, und nickte ein paar Mal bestätigend. »Ihr seid noch so jung und darum will ich euch helfen, die Vergangenheit schnell hinter euch zu lassen. Schüttelt den Gettogeruch so schnell wie möglich ab. Nur so gelingt es euch, vielleicht, frei zu werden von dem, was ihr erleiden musstet!«

Zwei Tage später fuhren die zwei mit einem Furagewagen der Roten Armee in Richtung Aussig. Es war noch ganz früh am Morgen. Maikühle lag über dem Land. Der Fahrer und sein Kamerad, beide noch ganz junge Burschen, freuten sich über die Fahrt und sangen, was die Lunge hergab. Immer wieder versuchten sie ihre Fahrgäste zu unterhalten, und weil sie nur ihre eigene Sprache sprachen, versuchten sie es durch große Gesten. Als sie sahen, dass dabei nichts herauskam, gaben sie auf und ließen es bei ihrem Gesang.

Sie ließen sich Zeit, hielten einige Male an und vertraten sich die Beine. Um die Mittagszeit kam der Wagen schließlich in Aussig an. Langsam, im Schritt, fuhren sie über die Elbbrücke, die nicht mehr sehr tragfähig schien.

Plötzlich hörten sie lautes Schreien und angstvolles Kreischen. Eine Gruppe Menschen rannte vor anderen her, die sie mit Knüppeln schlugen und im Siegesrausch in die Luft schossen.

Sie kreisten die Flüchtenden ein, schlugen immer heftiger zu und grölten vor Vergnügen, als eine junge Frau mit ihrem Kind in den Fluss sprang. Sie schossen hinter ihr her. Es war nicht zu erkennen, ob sie trafen oder nicht. Vera und David sahen die Frau im Fluss immer kleiner werden, bis sie völlig den Blicken entschwand.

Die grölende Horde nahm das Prügeln wieder auf. Kreischend flüchteten die Menschen weiter durch die Gassen der Stadt.

Mit Erschrecken sahen die zwei dem Pöbel nach. Sie gingen zur Ladefläche des Autos, wo einer der Soldaten ihre Rucksäcke herabhob und sie den beiden reichte. Er grinste ein sympathisches Jungenlachen und sagte mit einer Handbewegung auf die Flüchtenden: »Deutschland kaputt!«

»Ja, Deutschland kaputt«, erwiderte Vera, reichte dem Russen die Hand und winkte dem Fahrer in seiner Kabine zu.

Der winkte zurück.

David aber stand immer noch wie betäubt. Er starrte in den Fluss und suchte mit weit aufgerissenen Augen nach der Frau und ihrem Kind. Er sah sie nicht mehr. Erst durch den Lärm des davonfahrenden Russenlasters kam er langsam wieder zu sich. Vera reichte ihm den Rucksack. Er hob ihn sich auf den Rücken, hakte die Gurte ein und war Vera behilflich.

Sie machten sich auf den Weg in das Zentrum. Die hoch aufragenden Kirchtürme dienten ihnen als Wegweiser. Aufmerksam studierten sie Hinweisschilder, die in kyrillischen und lateinischen Buchstaben auf Holzschilder gepinselt waren.

»Kommandantura«, buchstabierte David und wies in die Richtung, in die auch das Hinweisschild zeigte. »Hier müssen wir entlang, Vera. Hoffentlich hilft uns das Schreiben weiter, das uns der Oberleutnant mitgegeben hat!«

»Es wird schon, Junge«, beruhigte sie David. Neugierig sahen ihnen viele der Bewohner nach. Beide trugen an ihrem linken Arm die weiße Armbinde, auf der »KZ Terecin« zu lesen war. Ein Siegel machte die Binde zum amtlichen Kennzeichen.

Dann standen sie vor dem villenartigen Haus, an dessen Fassade riesige Bilder von Lenin und Stalin hingen. Nicht zu übersehen war das Schild mit der Aufschrift Kommandantura.

Vera und David gingen auf den Posten zu, der wachhabend auf der breiten Eingangstreppe stand. Die Maschinenpistole hielt er martialisch vor der Brust. Als sie ihm zu nahe kamen, legte er die Waffe auf die zwei an und knurrte: »Stoj!«

Vera reichte das Schreiben hin, das ihnen Oberleutnant Malachow mitgegeben hatte, und wartete ab. Der Soldat wurde verlegen. Er wusste nicht recht, was zu unternehmen sei. Er starrte auf das Papier, schielte zum Eingang der Kommandantur und konnte sich zu keiner Entscheidung aufraffen. Als ein Offizier aus der Tür auf die Straße trat, schien ihm ein Stein vom Herzen zu fallen. Er rief den Vorgesetzten an und machte seine Meldung.

Der Offizier kam näher. Er trug eine abgewetzte Uniformjacke und eine Schirmmütze aus Leder, an der sich der rote Stern der Sowjetarmee befand. Außer diesem Stern erinnerte nichts daran, dass der Mann Offizier der Roten Armee war. Nur das unterwürfige Verhalten des Soldaten mit der Maschinenpistole wies darauf hin. Der Offizier grüßte lässig und schaute die zwei über den Rand seiner Brille an. Mit klugem Blick hatte er die Armbinde erkannt und forderte in fast so gutem Deutsch wie Oberleutnant Malachow: »Kommen Sie bitte mit!« Er drehte sich um und schritt die Treppe hinauf in das Haus. Er sah sich nicht einmal um, sondern war sich sicher, dass die beiden ihm folgen würden. Und sie folgten ihm.

In seinem Arbeitszimmer angekommen setzte er sich hinter einen mächtigen Schreibtisch, der bestimmt einmal vornehmere Zeiten gesehen hatte, knallte die Ledermütze auf einen Berg Akten und sagte: »Eure Namen sind Vera Schorr und David Rosen?«

Die zwei nickten stumm.

»Setzt euch! Kann ich euch etwas anbieten?

Ich habe Bier da, auch Wodka könnt ihr haben ... oder wollt ihr ein Glas Tee?« Man spürte, dieser Offizier wollte ihnen etwas Gutes tun, wollte sich hilfreich zeigen, menschlich sein.

»Eigentlich möchten wir nur fragen, wie es mit einer Beförderungsmöglichkeit für uns steht«, sagte Vera und David ärgerte sich ein wenig, dass sie ihm zuvorgekommen war.

»Das steht im Brief vom Genossen Malachow! Wohin wollt ihr eigentlich? In welche Richtung soll es gehen?«

»Nach Hannover«, erwiderte Vera.

»Nach Hagen«, sagte David und beide sagten es zur selben Zeit.

Der Offizier lachte: »Einig müsst ihr euch schon werden. Jedenfalls soll es zu den Amerikanern gehen ... oder sind inzwischen schon die Engländer da? Ich weiß es nicht, ist ja auch nicht wichtig! Das wird eine harte Reise für euch werden!«

»Es kann nicht schlimmer werden als das, was wir hinter uns haben«, konterte David und der Offizier nickte sehr ernst zu Davids Worten.

»Ich werde euch helfen, so gut es möglich ist. Morgen früh könnt ihr mit einer Gruppe nach Bad Schandau fahren. Ich gebe euch für den verantwortlichen Politoffizier dort ein Schreiben mit. Er wird euch, wie ich hier, weiterhelfen. Die Nacht könnt ihr auf der Kommandantur bleiben. Irgendwo wird sich ein Platz finden, wo ihr schlafen könnt. Essen bekommt ihr in der Offiziersmesse. Ich sage euch noch den genauen Termin, wann die Reise morgen früh losgeht. Im Übrigen habt ihr Glück gehabt, dass ihr auf mich getroffen seid, ich bin hier der zuständige Politoffizier!«

In Bad Schandau in Sachsen schien alles wie vor langen Jahren.

Kaum ein Haus war zerstört, der Krieg schien um die Stadt herumgegangen zu sein.

Der Politoffizier, diesmal ein hoch gewachsener schlanker Mann in gepflegter Uniform, reichte sie weiter an seinen Genossen in Dresden. Zum ersten Mal sahen Vera und David, welche Zerstörungen ein Krieg anrichtet. Berge von Trümmern türmten sich überall in der Stadt. Immer noch stieg aus vielen Ruinen beißender Rauch auf. Die Brücken über die Elbe waren nur im Schritt befahrbar.

»Das ist ja furchtbar«, stotterte David, als er die Schuttberge sah, »lass uns so schnell wie möglich weiterfahren, ganz gleich, wohin!«

»Das Unrecht am Krieg ist, dass immer nur die leiden müssen, die am wenigsten Schuld tragen«, meinte Vera und fügte hinzu: »Hannover soll auch so sehr zerstört sein!«

»Das ist wohl mit allen Großstädten so. Meine Stadt soll zu achtzig Prozent zerbombt sein! Im Übrigen, Vera, müssen wir uns endlich einig werden, wohin wir gehen. Hannover oder Hagen, das wird die Frage, wenn wir zusammenbleiben wollen!« Er machte eine Pause und fragte dann nach: »Wir wollen doch, oder?!«

»Kindskopf«, erwiderte Vera. »Wir gehen zusammen dorthin, wohin uns das Schicksal zuerst verschlägt!«

»Sag besser, die Alliierten, Vera!« Nach einer Pause fragte David: »Ob wir überhaupt noch jemand von unseren Angehörigen finden werden?«

Vera unterbrach ihn. »Daran dürfen wir jetzt nicht denken. Für uns ist nur wichtig, dass wir gesund ans Ziel kommen. Gefühle können wir uns nicht leisten, die machen uns nur kaputt!«

Die Straßen im Zentrum der Stadt waren kaum befahrbar. Zu hoch lag der Schutt an den Seiten. An den Kreuzungen standen die uniformierten Soldatinnen der Roten Armee mit ihren Signalfähnchen. Geschickt ordneten sie immer wieder das Chaos auf den Straßen.

In der Offiziersunterkunft, weitab vom zerstörten Zentrum, wurden sie freundlich aufgenommen. Auch hier tat das Schreiben, das ihnen aus Bad Schandau mitgegeben wurde, beste Dienste.

Überall wurde davon gesprochen, dass die Truppen der Roten Armee vorrücken würden. Die Amerikaner, so hieß es, zögen sich zurück aus den eroberten mitteldeutschen Gebieten, um dafür in Berlin präsent zu sein.

In Dresden dauerte es mehr als eine Woche, bis ein Wagen Vera und David mitnahm. Die Fahrt ging nach Torgau. Mitten unter jungen Soldaten saßen die zwei auf Bänken, die auf die Ladefläche montiert waren. Sie fuhren durch eine kleine Stadt, deren Namen sie nicht erkennen konnten, denn das Ortsschild lag im Straßengraben. Nur wenige Zerstörungen waren zu sehen. Ein paar Frauen waren dabei, eine Naziparole von einer Ziegelwand zu kratzen ... »bleibt deutsch« war noch zu erkennen, alles andere hatten die Frauen schon abgekratzt. Eine andere Frau wusch mit einer Wurzelbürste ein Plakat fort, auf dem eine Person als schwarzer Schatten zu sehen war. Darunter stand die Warnung: *Psst, Feind hört mit!*

Mitten auf der Dorfstraße tanzten ein paar junge Sowjetsoldaten nach Klängen eines Radios, das in einem Fenster zu ebener Erde stand.

Andere kurvten ausgelassen wie Kinder auf Fahrrädern herum.

Der Fahrer des Militärtransportes trat auf die Bremse und hupte ärgerlich. Erst nach einiger Zeit machten die Soldaten auf den Rädern die Straße frei und ließen die fluchenden Kameraden passieren.

In Torgau sah es traurig aus. Überall an den Straßen standen ausgebrannte Autos, zerstörte Panzer und anderes Kriegsmaterial. Auf dem Marktplatz hielt der Fahrer. Er stieg aus und machte den beiden ein Zeichen abzusteigen. Die folgten der Aufforderung. Vera fragte den Fahrer: »Wo Kommandantura?«

Der Russe grinste nur verlegen und schüttelte den Kopf. Er ging zurück zum Fahrerhaus, stieg ein und gab Gas. Vera und David sahen dem Wagen nach. Die Soldaten auf der Ladefläche winkten ihnen zu. Die zwei winkten zurück.

»Was nun?«, fragte David, als sie allein auf dem Markt standen. Misstrauische Menschen näherten sich ihnen, beäugten sie von allen Seiten. Sie wunderten sich, als sie die zwei deutsch reden hörten, denn für sie waren die mit den Russen Hergekommenen ebenfalls Russen. Einige versuchten die Schrift auf der weißen Armbinde zu entziffern. Als es ihnen nicht gelang, gaben sie es wieder auf.

»Wir gehen zu Fuß zur Kommandantur«, ergriff Vera wieder die Initiative. »Es kann ja nicht allzu weit sein!«

Sie sahen sich um und fanden dann einen Pfahl mit den Hinweisschildern, gingen der angezeigten Richtung nach und standen schon wenige Minuten später vor der Kommandantur.

Der zuständige Offizier war nervös und schien keine Zeit für die beiden zu haben. David und Vera standen unschlüssig herum. Endlich kam der Politoffizier noch einmal heran, drückte David einen Sack mit Lebensmitteln in die Hand und sagte: »Hier ist Brot und Speck für ein paar Tage. Von nun an müsst ihr euch selber weiterhelfen. Wenn ihr aus der Stadt herauskommt, seid ihr an der Elbe. Und nun alles Gute!«

Er ließ sie stehen und hastete davon.

Unzählige Flüchtlinge zogen mit Karren und Koffern, mit müden, schleppenden Schritten in Richtung Westen.

Vera und David reihten sich in die Reihe der Wartenden ein. Nach mehr als drei Stunden überquerten sie die Brücke.

Niemand kümmerte sich so recht um sie. Einmal liefen sie einer Streife der Militärpolizei in die Arme. Die besahen sich gleichgültig die Papiere und winkten ihnen zu weiterzugehen.

Sie kamen an den Rand eines winzigen Dorfes. Das unruhige, mahnende Muhen aus den Ställen machte deutlich, dass es Zeit zum Abendmelken wurde.

»Es hat keinen Sinn, heute noch weiterzugehen«, sagte Vera.

»Bleiben wir hier über Nacht, vielleicht lässt uns ein Bauer in seiner Scheune übernachten«, erwiderte David, sehr einverstanden mit Veras unausgesprochenem Wunsch auszuruhen.

»Wir nehmen aber die Armbinden ab, Vera. Es muss nicht jeder auf den ersten Blick sehen, woher wir kommen!«

Vera zögerte, bevor sie antwortete: »Warum eigentlich, David? Ich sehe keinen Grund dafür!«

»Sie haben alle ein schlechtes Gewissen, wenn sie die Armbinden sehen, und ich will durch meinen Anblick niemand noch tiefer in Konflikte stürzen!«

Ohne ein Wort zu erwidern nahm Vera ihre Armbinde ab und steckte sie in die Tasche. Ihrem Gesicht war anzusehen, dass sie mit Davids Vorschlag nicht einverstanden war.

Sie sprach eine Bäuerin an, die mit Eimer und

umgebundenem Melkschemel auf dem Weg in den Kuhstall war. Die Frau betrachtete die zwei misstrauisch und gab ihnen den Rat zum Bürgermeister zu gehen.

»Der wohnt im dritten Haus auf der linken Seite«, erklärte sie und wies ihnen flüchtig den Weg.

Der Bürgermeister, ein alter Mann mit faltigem Gesicht, ging zwei-, dreimal um die Gestalten herum, die müde und verstaubt auf eine Antwort warteten. »Kommt ins Haus«, forderte er sie auf und ging voran. »Setzt euch«, sagte er und schob Vera einen Stuhl zu. »Woher kommt ihr?«

Sie setzten sich. David stellte den Proviantsack neben den Stuhl und Vera antwortete: »Aus der Tschechoslowakei kommen wir!«

»Da habt ihr einen schweren Weg hinter euch. Haben euch die Russen sehr geschunden?«

»Nein, sie waren anständig zu uns«, erwiderte David auf die Frage. Der Bürgermeister hatte wohl eine andere Antwort erwartet.

»Wenn ihr in meiner Scheune schlafen wollt, müsst ihr alles, was ihr in den Taschen habt, auspacken und hier liegen lassen. Ich will nicht, dass jetzt noch abbrennt, was der Krieg verschont hat!«

Sofort waren die zwei mit der Forderung einverstanden. Sie legten auf den Tisch, was in den Taschen war.

»Dann kommt, ich bringe euch hinüber. Legt euch hin, solange es noch hell genug ist, damit ihr euch zurechtfindet. Morgen müsst ihr dann aber weiter, wir haben schon genug Flüchtlinge im Dorf!«

Die zwei schliefen im duftenden Heu tief und traumlos. Das aufgeregte Krähen der Hähne weckte sie, kaum dass die Morgenröte den Osten erhellte. Sie stellten sich an die Pumpe. Einer pumpte das Wasser für den anderen und sie spritzten ausgelassen wie Kinder herum.

Der Bürgermeister kam aus dem Stall. Als er neben der Pumpe stand, sagte er: »Geht ins Haus. Meine Frau hat euch ein Frühstück bereitet. Ich komme auch gleich nach!«

Sie rollten die Decken zusammen, packten die Rucksäcke und schnürten sie zu. Auf der Schwelle zum Wohnhaus stand die Bäuerin. Sie musterte die beiden mit weit aufgerissenen Augen. »Setzt euch, ich habe euch was zurechtgemacht! Hoffentlich schmeckt es!«

Es schmeckte ihnen sehr. Sie langten zu. Der Bürgermeister kam in das Zimmer und legte den Tascheninhalt auf den Tisch. »Hier ist euer Eigentum!« Er wies auf die Armbinden. »Warum habt ihr mir nicht gesagt, woher ihr kommt, ich hätte ein Bett für euch gehabt!«

»Es muss nicht jeder wissen und man spricht nicht leicht über diese Jahre«, entgegnete Vera.

»Das haben wir alle nicht gewollt«, versuchte die Bäuerin eine Entschuldigung. »Es hat auch niemand gewusst . . .«

Der Bürgermeister unterbrach seine Frau. »Wisst ihr denn schon, wohin ihr wollt, und wenn ja, wie ihr dorthin kommt?«

David schluckte den Bissen hinab und sagte: »Nach Hannover oder Hagen wollen wir, ganz gleich!«

Der Alte überlegte, dann hellte sich seine Miene auf. »Dreißig Kilometer oder ein wenig mehr von hier beginnt die amerikanische Zone. Da findet ihr bestimmt einen mitleidigen Ami, der euch mitnimmt.«

Unruhe erfasste die zwei. Sie schlangen das Frühstück hastig hinab und schulterten die Rucksäcke. Dann waren sie auf der Landstraße und marschierten in Richtung Westen.

Und wie der Bürgermeister gesagt hatte, so geschah es. Vera lächelte den Neger in seinem riesigen Fahrerhaus an und bat ihn in schlechtem Schulenglisch sie beide mitzunehmen.

»Oh, Dortmund«, grinste der Fahrer und rollte mit den Augen. »Okay, kids, come in!«

Sie ließen es sich nicht zweimal sagen, stiegen hoch in das Fahrerhaus und schüttelten dem freundlichen Mann am Steuer die Hand. Er gab Gas und ließ den schweren Wagen so schnell über die Straßen jagen, dass den Mitfahrern oft angst und bange wurde. Der Schwarze bemerkte es, schielte aus den Augenwinkeln zu ihnen hinüber und grinste breit. Freigebig wies er auf die zahlreichen Packungen, in denen sich Verpflegung befand. Sie aßen nichts, waren viel zu aufgeregt, denn schon näherten sie sich Nordhausen.

Als sie Hamm hinter sich gelassen hatten und ihnen mit jeder Stadt, durch die sie kamen, das

Ausmaß der Kriegszerstörungen deutlicher wurde, fragte David: »Wie wird man sich uns gegenüber verhalten? Wie werden sie uns aufnehmen?«

»Das werden wir früh genug sehen, David! Zerbrich dir nicht schon jetzt den Kopf darüber«, erwiderte Vera kühl überlegend.

Der Junge blieb schweigsam und nachdenklich, bis sie Dortmund erreichten. Entsetzen stieg in den beiden auf, als sie die zerstörte Stadt sahen. Haushoch lag der Schutt, und die Stahlträger ragten wie drohende Finger aus den Trümmern.

Der Neger ließ die Sirene ein paar Mal Abschied nehmend aufheulen, grinste und reichte Vera einige Frühstücksrationen heraus. Dann donnerte der schwere Wagen davon.

Schnell gingen die beiden weiter. Sie wollten die Trümmerwüste hinter sich lassen. Sie kamen durch Vororte, die den Krieg fast ohne jeden Schaden überstanden hatten. Der Abend kam näher und mit ihm die Müdigkeit. Als die Nacht alles in ihre Dunkelheit hüllte, legten die zwei sich im Schutz einer Böschung zum Schlaf nieder. Die Nacht war mild und sternenklar.

Schon vor Sonnenaufgang war David wach. Vera schien fest zu schlafen. Besorgt zog er die Decke zurecht und erhob sich leise um ihren Schlaf nicht zu stören. Er schaute sich um, reckte sich und hörte still zu, wie die Vögel ihren Morgengesang anstimmten.

Als er sich umwandte, saß Vera schon aufrecht und lachte ihm entgegen: »Guten Morgen, Junge!«

Er ließ sich neben ihr auf die Knie nieder, fuhr ihr zärtlich durch das wirre Haar und küsste sie. »Guten Morgen, mein Liebes«, erwiderte er, »ich wünsche dir einen schönen Tag!«

Vera kuschelte sich in Davids Arm. So lagen die beiden eine Weile stumm, starrten in den morgenblauen Himmel und lauschten dem Vogelzwitschern. Vera rührte sich als Erste. Sie nahm eine Packung des amerikanischen Frühstücks, brach sie auf und besah sich den Inhalt. »Alles da, was man für ein Frühstück braucht. Selbst ein Dosenöffner ist dabei!« Sie brach eine Kekspackung auf und bot David an. Der lehnte ab und verzog das Gesicht. »Wenn ich jetzt was esse, dreht sich mir der Magen um. Ich bin furchtbar nervös, Vera!«

Vera war realistischer. Sie aß von den guten amerikanischen Sachen. Zwischen zwei Bissen sagte sie: »Gewöhn dir das ab. Benimm dich normal, sonst wirst du bald krank sein, David! Die Gettozeit ist vorüber, jetzt beginnt für uns, die wir das Grauen überlebten, eine neue Zeit, ein neues Leben!« Vera erhob sich, packte die Rucksäcke und schnürte sie zu. »Und nun nimm deinen Rucksack auf, wir wollen gehen«, forderte sie.

Auf der Höhe der Hohensyburg flatterte stolz das Sternenbanner über dem Kaiser-Friedrich-Denkmal. Übermütig schossen die amerikanischen Soldaten mit ihren MPs auf die preußischen Feldherren, die in Stein gehauen den Sockel des Denkmals bewachten.

Weit reichte von hier oben der Blick in das Land. In der Ferne sah David verschwommen seine Heimatstadt liegen. Aufgeregt zeigte er in die Richtung. Ihm klopfte das Herz bis in die Schläfen. Vera bemerkte es, stieß ihn in die Seite und sagte: »Heul dich aus, wenn dir danach zu Mute ist, dann aber nimm den Kopf in den Nacken und blick nach vorne, David!«

Da schluckte David die Tränen hinab. Er ärgerte sich so weich zu sein, zog Vera eng an sich und sagte: »Was würde ich ohne dich tun, Vera? Du hast viel mehr Kraft als ich!«

Das Mädchen lachte. »Dafür ist mehr Gefühl in dir, Junge! Das gleicht sich aus, gibt eine gute Mischung!«

Arm in Arm standen sie und schauten über den Stausee, der blau schimmernd und still unter ihnen lag. Sie sahen das frühlingsfrische Land und dann sagte David sehr leise: »Ich habe Angst vor der Zukunft, Vera! Sie werden uns ablehnen, weil sie durch unsere Anwesenheit an ihr Versagen unter den Nazis erinnert werden!«

»Damit müssen sie fertig werden, wenn sie neu anfangen wollen!«

Vera wies in die Richtung, in der Davids Stadt lag. »Die dort auf ihre Weise, wir auf unsere! Leicht wird es für uns alle nicht werden!«

»Diesmal waren es wir Juden, die zum Prügelknaben wurden. Wer wird es beim nächsten Mal sein? Vielleicht sind es rothaarige Katholiken oder schielende Protestanten? Praktisch kann es jeder sein!«

»Ja, David«, nahm Vera Davids Gedanken auf, »es heißt wachsam zu sein und den Anfängen wehren! Und nun komm, der Weg ist noch weit!«

Worterklärungen

*(alphabetisch geordnete Begriffe, die in
Theresienstadt gebräuchlich waren)*

Agonie – Todeskampf
ahoj – »Hallo«, vulgärtschechisch, wurde nach
dem Ersten Weltkrieg modern
Arier – nach der Terminologie der Nationalsozialisten über anderen Rassen stehende Men-
schengattung
Auschwitz – Vernichtungslager in Polen. Über
die Massenmorde wusste man in Theresienstadt lange Zeit nichts
baruch haba – (hebr.) gesegnet sei der Ankom-
mende
Bauschowitz – Ort und Bahnstation bei Theresienstadt. Hier kamen bis Ende 1943 die
Transporte an und fuhren von hier in die Vernichtungslager
BDM – »Bund Deutscher Mädchen«, zur Hit-
lerjugend gehörende Organisation, der Mäd-
chen im Alter von 14–18 Jahren angehörten
Bijouteriewaren – Modeschmuck
Bonkes – nannte man jedes unwahre Gerücht in
Theresienstadt
Brodem – Dunst
Chawer – Freund, Genosse, Kamerad
Chuzpe – (hebr.) Frechheit, Dreistigkeit
Cut – Mantel, Jacke

Ejzes – Ratschlag

Film – über das Getto, wurde auf Befehl der SS gedreht, nur einige Male vorgeführt, später aber nie mehr gezeigt

Furage – Verpflegung für die Truppe

Gemeinschaftshaus – hieß ab Herbst 1944 die »Sokolhalle«

Gendarmerie – mehr als 150 tschechische Männer der Sonderabteilung der Regierungsgendarmerie taten für die SS Wachdienste in Theresienstadt

Gettogeld – 1943 ausgegeben, diente es mehr der deutschen Propaganda

Gettogericht – ein Strafgericht der jüd. Selbstverwaltung

Gettowache – jüdische Lagerpolizei seit 1941. Später nannte sie sich Gemeindewache

Grußpflicht – bestand gegenüber allen Uniformträgern durch Lüften der Kopfbedeckung oder Verneigen. Der Grußbefehl wurde im Frühjahr 1944 aufgehoben

Herzl, Theodor (1860–1904), österreichisch-jüdischer Schriftsteller und Politiker, Begründer des politischen Zionismus

Jecke – Bezeichnung für die deutschen Juden, weil sie sehr früh in der Geschichte Jacken trugen

Jugend hilft – Aktion wurde Ende 1942 von den zionistischen Verbänden ins Leben gerufen

Jupo – Abkürzung für Judenpolizei

Kaddisch – Totengebet, wird von den männlichen Nachkommen gesprochen

Kaffeehaus – bestand seit Ende 1942 und sollte ein normales Café vortäuschen. Eintritt war nur mit gültigen Karten für zwei Stunden möglich

Kameradschaftsheim – auch SS-K., war im besten Hotel Theresienstadts, dem Hotel Viktoria, untergebracht. In diesem Hotel wohnten auch die führenden SS-Offiziere

Kavalier-Kaserne – diente als »Schleuse« für Neuankommende. Beherbergte auch eine psychiatrische Abteilung

Kleine Festung – seit 1940 KZ. Diese Einrichtung hatte mit dem Getto Theresienstadt nichts zu tun. Gelegentlich kamen strafweise auch Juden aus dem Getto dorthin. Sie wurden getötet oder nach Auschwitz gebracht

Kolumbarium – ein Vorwerk gegenüber der Leichenhalle, in dem die Asche der Krematierten in Papierbeuteln lagerte. 1944 wurde die Asche fortgeschafft und in die Eger gestreut

Kübelwagen – offenes Militärauto

KZ-Kittel – die Bekleidung in den Konzentrationslagern bestand aus blauweiß gestreiften Leinenanzügen, nicht aber im Getto Theresienstadt. Hier trugen die Gefangenen Zivilkleidung

Langemarck – Schlacht im Ersten Weltkrieg in Belgien. An ihr nahmen überwiegend freiwillige Studenten und Schüler teil

Lidice – damals auch Liditz genannt, wurde nach dem Tod des SS-Offiziers Heydrich im Juni 1942 vollständig vernichtet. Dreißig Männer

aus Theresienstadt mussten die Massengräber
ausheben

Lysol – Desinfektionsmittel

Madrich – (hebr.) Lehrer

Mazzeorden – nannte man in Theresienstadt die
Kennzeichnung, den »Stern«, den die Juden
seit September 1941 tragen mussten

Mundfunk – nannte man in Theresienstadt ironisch den Rundfunk, den es ja nicht gab. Über
ihn wurden alle Nachrichten verbreitet

potemkinsch – vorgetäuscht

Schlatenschammes – (hebr.) Helfershelfer

Schleuse – stammt aus der deutschen Militär-
sprache. Es bedeutet, dass Menschen geschleust, d. h. über eine bestimmte Stelle geführt werden. Anfang 1942 brachten Angehörige der SS diesen Begriff nach Theresienstadt.
Von da ab wurde alles, was man sich nur denken kann, »geschleust«. Es wurde auch zum
Synonym, mit dem man den Begriff organisie-
ren verharmloste

Sokolhalle – Vereinshaus mit Turnhalle aus der
bürgerlichen Zeit Theresienstadts. Hier untergebracht war das Krankenhaus, zeitweise
das Typhusspital. Nach der »Stadtverschönerung« wurde die Sokolhalle zum Gemeinschaftshaus. Ihm waren ein Theatersaal und
eine Bibliothek angegliedert

Speisehalle – wurde nach der Stadtverschönerung eine Baracke genannt, in der normales
Getto-Essen an weiß gedeckten Tischen serviert wurde

Theresienbad – hieße der neue Wohnort, wurde vielen deutschen Juden versprochen. Jeder hoffte bei der Nennung Theresienbad auf eine hervorragende Unterbringung

Tonseife – Ersatzseife

Transport – dieser Begriff wurde bei allen Juden in den Jahren der Hitlerdiktatur zum Schreckensbegriff

Transporthilfe – Gruppe von jüngeren Freiwilligen, die den Juden bei der Ankunft in Theresienstadt oder bei der Abreise nach Polen behilflich war

Transportnummer – diese ergab sich aus der »Nummer seines Transportes« sowie der laufenden Nummer der Transportliste. Sie ersetzte in Theresienstadt den bürgerlichen Personalausweis und musste bei Behörden stets angegeben werden

Ubikation – (österr. Militärspr.) Bezeichnung für Quartier

Urnenhain – s. Kolumbarium

Verschleißstellen – wurden im Herbst 1942 eingerichtet und täuschten normale Geschäfte vor, in denen man gegen Gettogeld und Bezugscheine einkaufen konnte. Gelegentlich gab es wirklich etwas zu kaufen

Verschönerung – auch Stadtverschönerung genannt, wurde von der SS Ende 1943 befohlen und zur selben Zeit begonnen. Durch sie sollte dem Getto ein gutes Aussehen verliehen werden

Zentralevidenz – jüdische Hauptverwaltung

Zionisten – die Juden, die sich seit der Jahrhundertwende einen Judenstaat ersehnten und für die Verwirklichung eintraten